selbst ist der Mann

Dinge mit Pfiff für Hobby und Freizeit

Das Heimwerkerbuch mit vielen farbigen Abbildungen

MOEWIG

Verlagsunion Erich Pabel-Arthur Moewig KG, Rastatt

Sämtliche Anleitungen und Abbildungen stammen, sofern nicht anders angegeben, aus dem Redaktionsarchiv der Zeitschrift „Selbst ist der Mann“, Köln. Alle Angaben zu Material, Anwendung und Verarbeitung wurden sorgfältig geprüft. Dennoch muß im Einzelfall entschieden werden, ob die Bauvorschläge für den konkreten Verwendungszweck geeignet sind. Der Verlag kann eine Haftung für Personen-, Sach- oder Vermögensschäden, die sich aufgrund von Arbeiten gemäß den in diesem Band gesammelten Anleitungen ergeben, nicht übernehmen.
Nachweis der Urheberrechte: S. 11-22, 29-32: Caparol-Farben/AEG-Elektrowerkzeuge/UHU/Hornitex; S. 43-46: Lavinia-Wöhlbier; S. 91-94: Lars Dalsgaard.

4. Auflage

Originalausgabe

Redaktion: Gerrit Wöckener
Umschlagentwurf und -gestaltung: Werbeagentur Zeuner, Ettlingen
Umschlagfotos: Lavinia-Wöhlbier (Vorderseite), Redaktionsarchiv „Selbst ist der Mann“ (Rückseite)
Auslieferung in Österreich:
Pressegroßvertrieb Salzburg Gesellschaft m. b. H., Niederalm 300, A-5081 Anif
Printed in Germany 1991
Druck und Bindung: Mohndruck Graphische Betriebe GmbH, Gütersloh
ISBN 3-8118-8343-7

Inhalt

Lustige Kuscheltiere

Die lustige Froschfamilie besteht aus zwei „Modellen“.

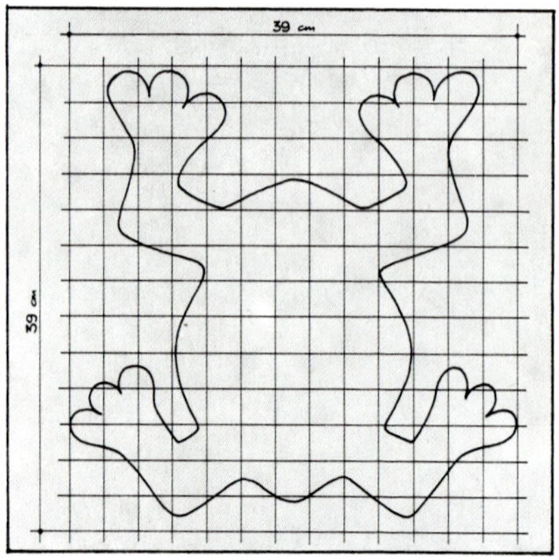

Frosch mit geraden Vorderbeinen (ein Rasterkästchen beträgt 3 Zentimeter).

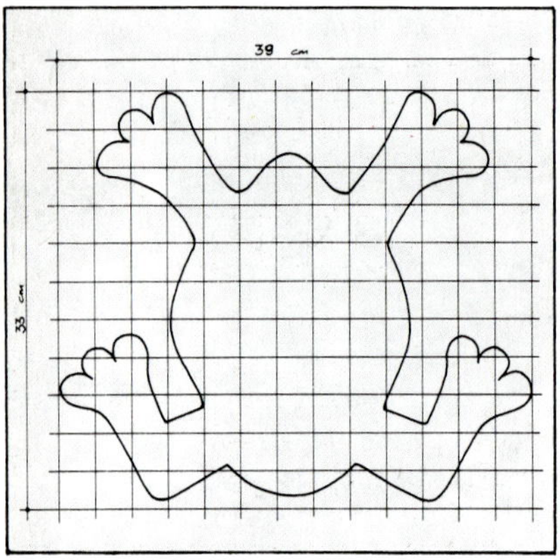

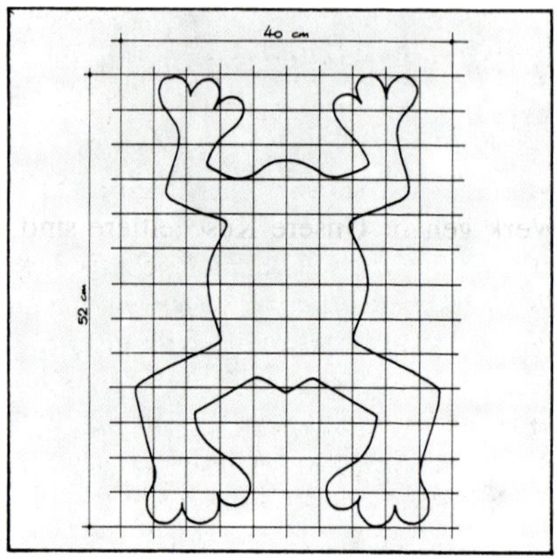

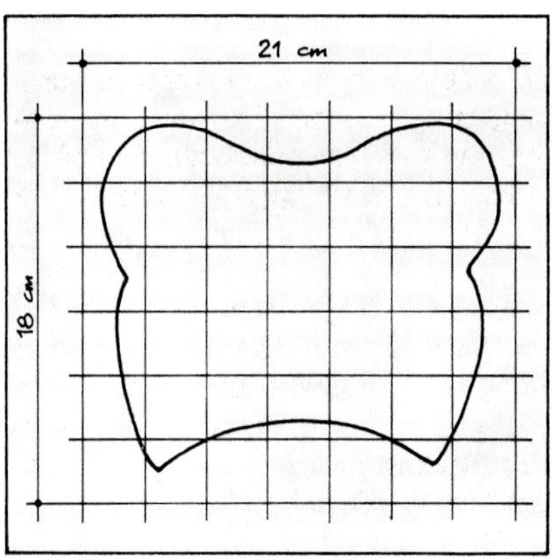

Die Froschköpfe (links unten) und alle Froschkörper werden zweifach zugeschnitten. Der Frosch mit den angewinkelten Gliedmaßen (oben) „sitzt“ auf einem Raster, dessen Kästchen 4 Zentimeter im Quadrat sind.

Auch die Maus ist schnell und einfach herzustellen.

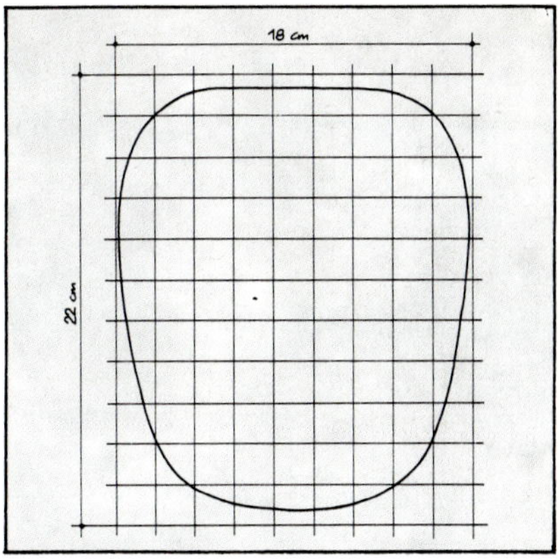

Der Mauskörper wird zweifach ausgeschnitten; Rasterkasten 2 cm.

Finden Sie nicht auch, daß man von solch knuddeligem Getier, wie auf diesen Seiten vorgestellt, nie genug haben kann?
Nun, da sollten Sie gleich frisch ans Werk gehen. Unsere Kuscheltiere sind ganz einfach zu nähen. Vielleicht finden Sie in Ihrer Stoffkiste sogar ein paar geeignete Reste. Weil das Nilpferd größeren Belastungen standhalten muß, schlagen wir grobes Sackleinen vor. Sie benötigen 2 m bei 1,40 m breit liegender Stoffbahn. Der Nilpferdkörper besteht aus einem 1,20 m langen und 1,40 m breiten Stück. In der Mitte einen roten, mit Zackenlitze abgesteppten Kreis als Sitzfläche aufnähen, dann die 1,40 m langen Seiten zusammensteppen. Die beiden Enden 10 cm einschlagen, säumen und jeweils eine Kordel einziehen. Die erste Kordel fest zuziehen und verknoten. Jetzt den Körper mit fest zusammengedrücktem Papier, mit Schaumstoff-Flocken oder mit Holzwolle ausstopfen und die zweite Kordel zuziehen – schon ist der Rumpf fertig. Aus dem restlichen Sackleinen Kopf und Ohren, aus rotem Stoff die Maulteile zuschneiden. Die Kopfteile zur Hälfte auf links zusammennähen und

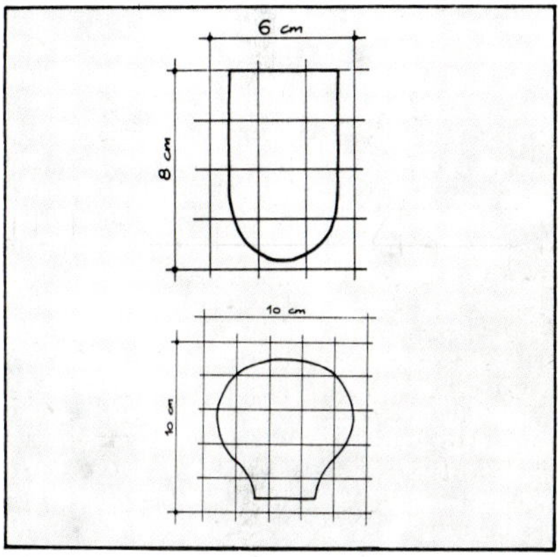

Schnittmuster für die Beine oben (8x) und für die Ohren darunter (4x).

die Maulteile einpassen. Auf rechts drehen, mit waschbarer Füllwatte ausstopfen und die Maulmittelnaht schließen. Zackenlitze und Nüstern aus Filz sowie die Augen (eine halbierte Styroporkugel) aufkleben. Die Ohren auf links zusammennähen, wenden, etwas füllen und am Kopf annähen. Jetzt den Kopf am Rumpf befestigen. Am besten geht's mit einer Polsternadel und starkem Knopflochgarn. Der Schwanz und der Haltegriff sind aus dicker brauner Wolle geflochtene Zöpfe.

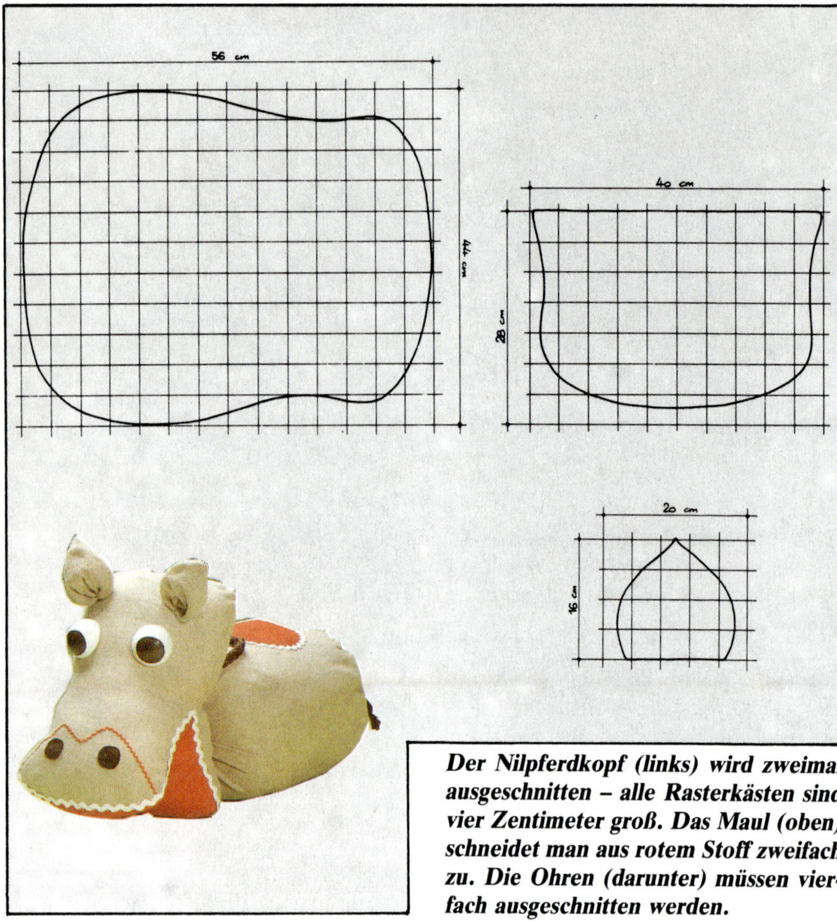

Der Nilpferdkopf (links) wird zweimal ausgeschnitten – alle Rasterkästen sind vier Zentimeter groß. Das Maul (oben) schneidet man aus rotem Stoff zweifach zu. Die Ohren (darunter) müssen vierfach ausgeschnitten werden.

Froschkörper und -köpfe jeweils doppelt zuschneiden. Bis auf eine Öffnung zum Wenden auf links zusammennähen, wenden und mit Füllwatte ausstopfen. Mit kleinen Perlen verzieren. Die Augen sind wiederum halbe Styroporkugeln; die Pupillen werden aufgemalt. Jetzt können Sie den Kopf mit dem Froschkörper vernähen.
Unsere Maus wird nach dem gleichen Schema genäht. Die Ohrvorderseite ist jedoch aus einem kontrastierenden Stoff. Sind alle Gliedmaßen ausgestopft und angenäht, werden Schnurrbarthaare, Nase und die Augen aus Filz aufgeklebt und der geflochtene Schwanz angeheftet.
Für den Tausendfüßler nähen Sie einen beliebig langen Schlauch, schließen das eine Ende, stopfen ihn mit Watte aus und schließen das zweite Ende. Über die gesamte Rückenlänge wird Zackenlitze geklebt. Bunte Bänder in gleichmäßigen Abständen unterteilen den „Schlauch“. Die Füße bestehen aus dikken Holzperlen, die Fühler aus Pfeifenputzern und die Augen aus halbierten Styroporkugeln.

Kinderhaus mit Rutschbahn

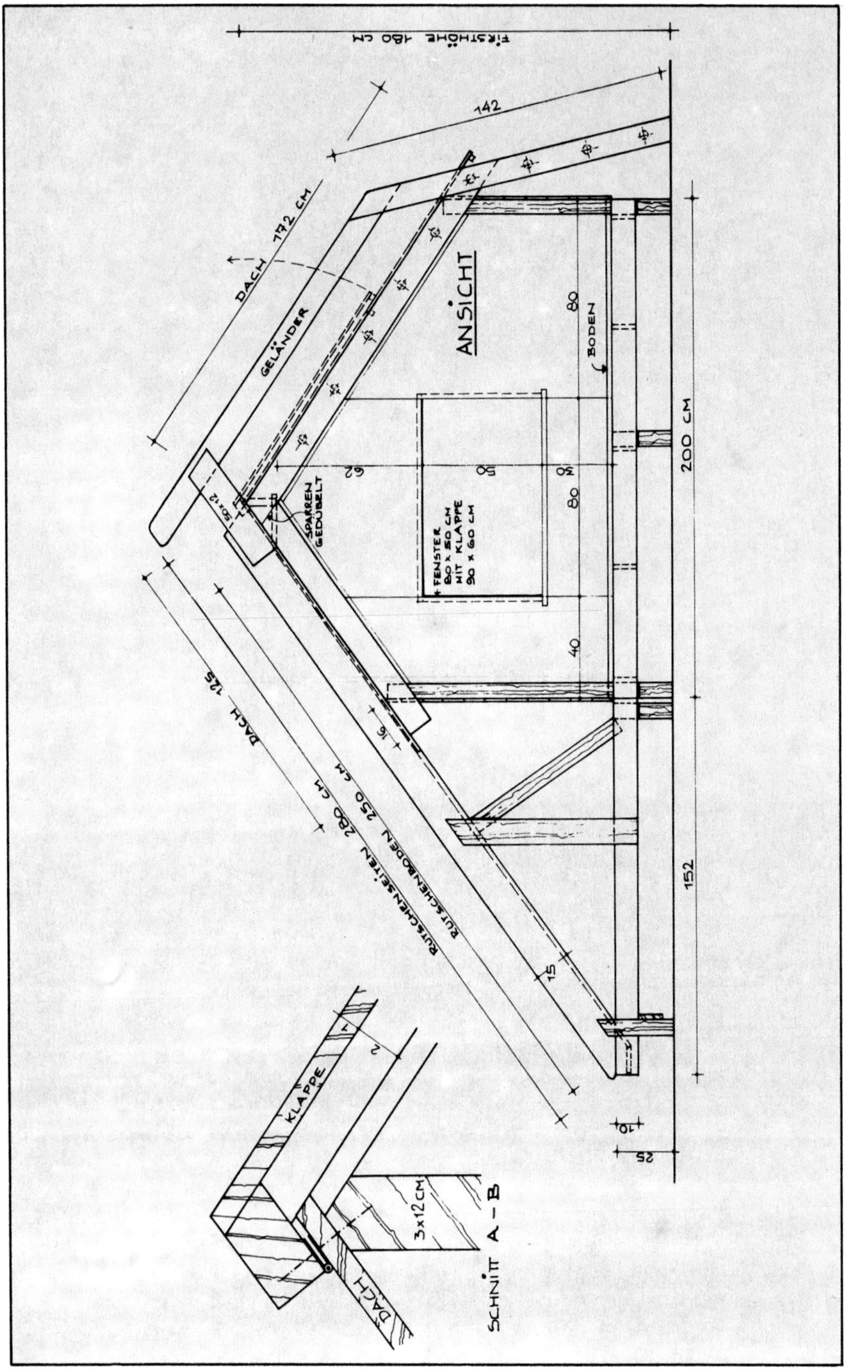
FIRSTHÖHE 180 CM
142
DACH 172 CM
GELÄNDER
ANSICHT
BODEN
80
62
FENSTER 80 x 50 CM MIT KLAPPE 90 x 60 CM
SPARREN GEDÜBELT
80
40
200 CM
DACH 125
280 CM
RUTSCHENBODEN 250 CM
RUTSCHENSEITEN
16
15
152
10
25
KLAPPE
2
3x12 CM
DACH
SCHNITT A – B

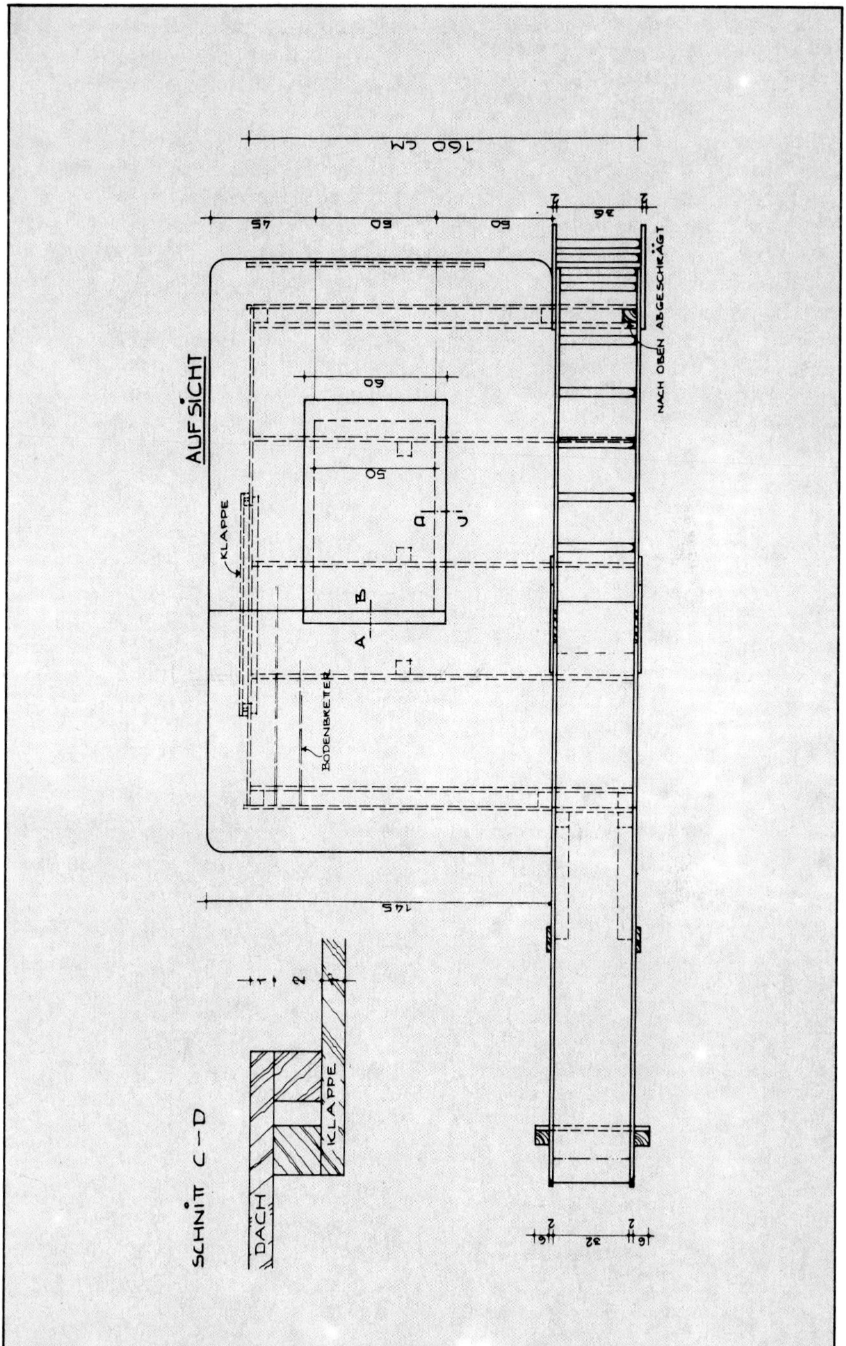
AUFSICHT
KLAPPE
BODENBRETTER
A
B
C
D
NACH OBEN ABGESCHRÄGT
160 CM
45
60
60
60
50
145
36
32
SCHNITT C–D
DACH
KLAPPE

Die Materialliste ist diesmal relativ lang. Bei genauem Ansehen fällt auf, daß viele Teile für die Sicherheit der Kinder sowie für eine hohe Stabilität wichtig sind.
Das Grundgestell des Kinderhauses besteht zunächst aus drei senkrechten Rahmen. Zum Zusammenbau legt man sich am besten jeweils die Einzelteile auf den Boden, um sie dort zu montieren. So lassen sich auch gleich die Winkel des Giebels anzeichnen und zuschneiden. Vordere und hintere Rahmen sind jeweils baugleich. Beide bestehen aus je zwei Giebelleisten, zwei senkrechten Stützen (rechts 950 mm, links 1200 mm) und einem waagerechten Querriegel, der auf einer Höhe von etwa 150 mm angebracht wird, damit das gesamte Haus später nicht direkt auf dem Boden aufliegt. Beim mittleren Rahmen wird zunächst genauso gearbeitet; der waagerechte Riegel entfällt hier, weil dieser Rahmen später an den Verstrebungen der Bodenkonstruktion befestigt wird.
Jetzt kann man damit beginnen, das Haus aufzuschlagen: Zwischen den vorderen und hinteren Rahmen werden rechts und links zwei 1600 mm lange

Materialliste

Anz.	Bezeichnung	Maße in mm	Material
3 3 3	Stützen links Stützen rechts Fußstützen	1200 lang 950 lang 250 lang	Fichte 60 × 60 mm
3 3 2 5 2 2	Sparren links Sparren rechts Querbalken Bodenverstärkungen Leiterseiten Geländer	1100 lang 1800 lang 2000 lang 1600 lang 1450 lang 1800 lang	Fichte 100 × 20 mm
16	Bodenbretter	2000 lang	Fichte 95 × 20 mm
19	Seitenverkleidungen	1640 lang	Profilholz mit 88 mm Deckbr.
1	First	1250 lang	Fichte 120 × 30 mm
1 1 1 1 1 1 1 1 1 1	Giebelverkleidung Giebelverkleidung Giebelverkleidung Giebelverkleidung Giebelklappe Dachhälfte links Dachteil rechts Dachteil rechts Dachteil rechts Dachklappe	1120 × 400 1120 × 800 300 × 800 620 × 800 600 × 900 1400 × 1250 1750 × 450 1750 × 500 800 × 500 900 × 600	Spanplatte 10 mm dick
1	Dachklappenanleimer	600 lang	Fichte 30 × 50 mm

Riegel geschraubt und verleimt. Dabei soll auch hier die nötige Bodenfreiheit erhalten bleiben. Die übrigen drei Bodenverstärkungen werden im Abstand von jeweils 40 cm voneinander eingesetzt. Noch bevor die Bodenbretter angebracht werden, kann man an den drei mittleren Bodenstreben Holzklötze plazieren, die der Bodenfläche zusätzliche Stabilität verleihen. Alle Bodenbretter werden mit jeweils fünf Millimeter Abstand voneinander auf das Bodengerüst aufgeschraubt und an einer Kante zusätzlich mit wasserfestem Leim fixiert. Die Zwischenräume sind nötig, damit Regenwasser abfließt, das durch die offene Front des Hauses eindringen kann. Den mittleren Sparrenrahmen können wir nun über den Boden setzen, so daß die lichte Breite oben zwischen den vorderen Rahmen 320 mm beträgt, denn darauf soll später die Rutschbahn aufliegen. Die 350 mm langen Leitersprossen werden in die vorgebohrten Löcher eingeleimt. Sicherheitshalber wird auch noch von außen verschraubt. Bevor der Rohbau für das Kinderspielhaus fertiggestellt ist, muß noch der 1250 mm lange Dachfirst eingebaut werden. Zuvor aber sollten die Winkel der Dachneigung angehobelt worden sein.

Die beiden Seitenwände werden mit Profilholzbrettern verkleidet. Man kann sie festtackern oder -schrauben. Die schon vorgefertigte Rutschfläche mit dem rechten Seitenteil wird auf die

Materialliste

Anz.	Bezeichnung	Maße in mm	Material
2	**Für die Rutsche:** Rutschenseiten	2800 lang	Fichte 150 × 20 mm
1 1 1	Rutschenboden Abschluß oben Abschluß unten	2500 × 320 200 × 320 120 × 320	Spanplatte 19 mm dick
2 2 2	Rutschenfüße Rutschenfüße Streben (schräg)	250 lang 320 lang 750 lang	Fichte 60 × 60 mm
2 1 1 2	Querriegel Querriegel Querriegel links Streben senkrecht	1520 lang 320 lang 480 lang 820 lang	Fichte 100 × 20 mm
2	Verbinder von Rutsche u. Geländer	500 × 120	Sperrholz 15 mm dick

Verstärkungsleisten als Fenster- und Klappenumrahmung, als Dachunterleimer, als Verbindung zwischen Sparren und Giebelverkleidung und Dach (alle Leisten sind aus 20 × 20 mm starkem Fichtenholz): 2 × 980 mm lang, 2 × 1010 mm lang, 5 × 560 mm lang, 1 × 700 mm lang, 1 × 1000 mm lang, 4 × 900 mm lang, 1 × 840 mm lang, 1 × 860 mm lang, 2 × 1400 mm lang; 6 Leitersprossen 350 mm lang, ∅ 30 mm; 3 Leitersprossen 390 mm lang, ∅ 30 mm; 1 Klavierband 600 mm lang.

beiden vorderen Sparrenrahmen aufgesetzt. Als zusätzliche Sicherung werden unter die Rutschbahn noch Leisten geschraubt.

Die untere Haltekonstruktion der Rutschbahn besteht aus einer waagerechten, 1520 mm langen Holzleiste. Auch diese Verstrebung wird an Füßen montiert (rechts 250 mm, links 320 mm lang) und oben mit dem entsprechenden Winkel abgeschrägt. Entsprechend der Konstruktionszeichnung wird die Rutschbahn fertiggebaut. Danach wird die Rückseite des Hauses montiert.

An der Außenseite werden um das Fenster herum seitlich und oben 20 × 20 mm starke Fichtenholzleisten angeleimt und verschraubt, über die dann die ebenfalls mit Leisten versehene Fensterklappe greift. Diese Klappe mit den Maßen 600 × 900 mm wird rundum mit Fichtenholzleisten versehen.

Die restlichen Teile des Geländers können nun montiert werden. Beide Seitenteile der Leiter (1450 mm lang) werden abgeschrägt, so daß sich die beiden 1800 mm langen Holme des Geländers gut mit der Leiter und den überstehenden Seitenteilen durch zwei Verbinder (500 × 120 mm) zusammenfügen lassen. Die drei Leitersprossen (390 mm lang) werden – wie schon vorher beschrieben – eingearbeitet.

Das Haus ist soweit hergestellt, daß

Die Rahmenhölzer werden miteinander verbunden.

Die Bodenbretter lassen sich mit einem Schlagbohrschrauber rationell befestigen.

man damit beginnen kann, die Dachplatten aus wasserfesten Spanplatten anzubringen. Alle nötigen Hinweise dazu gehen aus der Konstruktionszeichnung und der Materialliste hervor.

Da das Kinderhaus im Freien stehen wird, sollten alle Holzteile mit umweltfreundlichem Holzgrund behandelt sein. Er muß deckend aufgetragen werden, damit er für eine gute Haftung der nachfolgenden Lackierung sorgt. Lediglich die Innenseiten der Rutschbahn – sie werden extrem beansprucht – werden mit Disbon-Siegelgrund vorbehandelt. Er wird auf die vorher leicht angeschmirgelten und staubfreien Holzteile mit einem Pinsel aufgebracht. Wenn der Werkstoff getrocknet ist, kann man damit beginnen, Disboxid-Schutzanstrich 441 mit einem breiten Pinsel aufzutragen. Der zweikomponentige Schutzanstrich ist enorm belastbar und somit eine geeignete Beschichtung für die Rutschbahn.

Beim Aufstellen im Garten kann man die Fußstützen des Hauses auch an Flacheisen festschrauben, die in den Boden einbetoniert sind. Auf diese Weise können die Holzpfosten nach jedem Regen immer wieder austrocknen, ohne zu vermodern. Es ist aber ebenso möglich, die Fußstützen auf Betonplatten zu setzen, wenn man sie auf mittige Abstandhalter schraubt.

Die Leitersprossen müssen wasserfest eingeleimt werden.

Aus Profilholzbrettern bestehen die Seitenwände.

Nun wird auch die Rutschbahn angebaut.

Die Rutschbahn wird mit Streben stabil abgestützt.

Die Rückwand wird befestigt.

Die vorbereiteten Dachflächen werden aufgelegt, verleimt und verschraubt.

Adventskalender

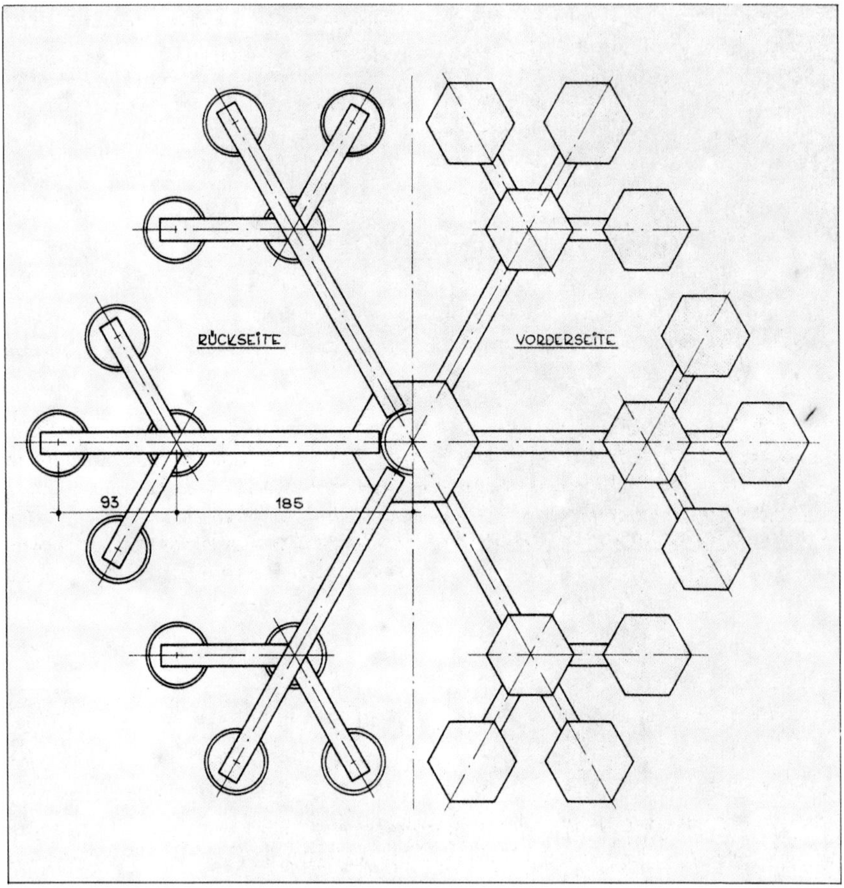

Unser Adventskalender in Eisblumenform wird bei den Kleinsten großen Erfolg haben. In jedem der 24 Kästchen steckt nämlich vom 1. Dezember bis zum Heiligen Abend täglich eine nette Kleinigkeit: etwas zum Spielen oder zum Naschen, ganz wie Sie wollen. Die Freude des Kindes ist sicher ein überzeugender Grund, Eltern oder Großeltern zum Basteln zu ermuntern.

Nachbauen läßt sich der hübsche Wandschmuck sehr gut aus Holzresten. An Werkzeugen benötigen Sie eine Stichsäge und eine Bohrmaschine mit einem Lochsäge-Vorsatz. Alle Einzelteile entsprechend der Materialliste zuschneiden. Damit der Kalender auch symmetrisch wird, die 60-Grad-Winkel an jeweils einem Ende der kurzen Leisten markieren und dann mit der Feinsäge abschrägen. Danach die Teile miteinander verleimen. Auf den langen Leisten jeweils zwei und auf den kurzen je ein rundes Kästchen befestigen.

Im Anschluß daran können Sie den Kalender in Ihren oder in den Lieblingsfarben Ihrer Kinder gestalten. Ein Bilderhaken hilft, ihn an der Wand zu befestigen.

Zunächst schneidet man sich aus einem Kunststoffrohr von 50 mm Durchmesser und etwa 90 Zentimetern Länge 25 Ringe von je 35 mm Breite.

Dann kommen die 48 Holzscheiben an die Reihe, die den kleinen Dosen als Innendeckel und Boden dienen sollen. Sie sind am einfachsten mit einem Lochsäge-Vorsatz an der Bohrmaschine zu fertigen.

Die Sechsecke werden aus einem 60 mm breiten Sperrholzstreifen zugeschnitten. Jetzt je eine runde Scheibe unter je ein Sechseck leimen – so erhalten Sie die 24 abnehmbaren Deckel.

Nun werden alle Leisten miteinander verbunden – ein guter Helfer dabei: die Heißklebepistole; die langen Streben werden hinter dem großen Sechseck befestigt. Anschließend werden die Döschen aufgeleimt.

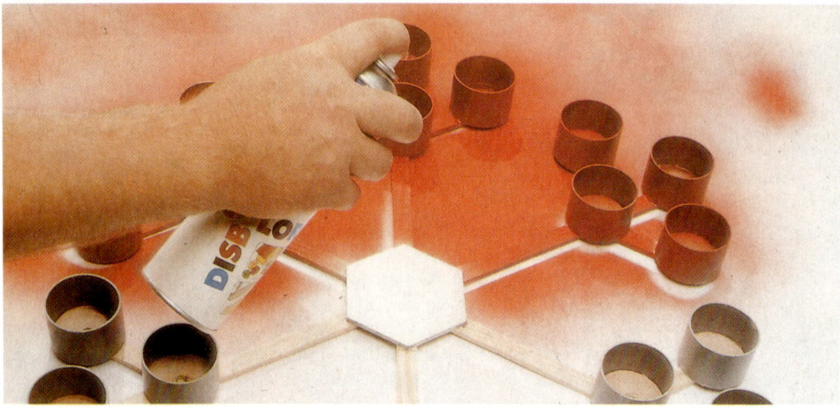

Die Oberflächen der Deckel werden mit Sprühfarbe behandelt, und solange die noch feucht ist, streut man glitzernde Sternchen darauf. Dann den Eisblumenkalender auf eine ausreichend große Unterlage legen und ebenfalls mit umweltfreundlichem Sprühlack im gewünschten Farbton bearbeiten. Wenn Sie jetzt noch die 24 Deckel mit selbstklebenden Ziffern versehen, ist der Adventskalender fertig.

Materialliste

Pos.	Anz.	Bezeichnung	Maße in mm	Material
1	24	Sechsecke	60 lang, Ø 70	Sperrholz 4 mm dick
2	1	Sechseck	90 lang, Ø 104	
3	48	kreisrunde Scheiben	Ø 45	
4	6	Leisten	265 lang	Sperrholz 5 × 15 mm
5	12	Leisten	100 lang	
6	1	Plastikrohr	900 lang, Ø 50	Plastik

Eine Seefahrt, die ist lustig . . .

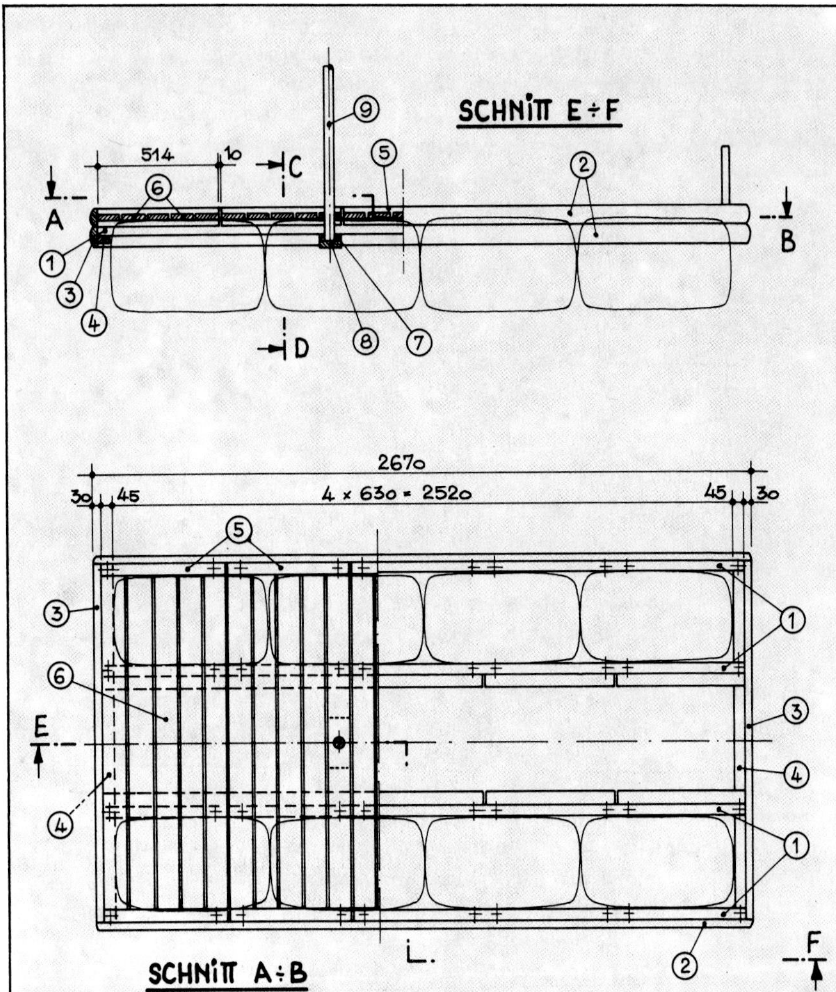

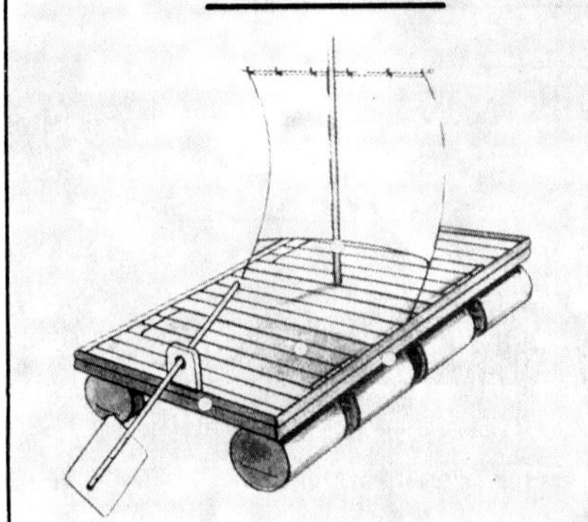

Hier die technischen Details unseres „Luxusdampfers". Nach den Zeichnungen und der Materialliste lassen sich alle Teile genau zuschneiden. Bei der Montage der Längs- und Querleisten kommt es darauf an, wie groß Ihre Kunststoff-Kanister sind – man muß die Behälter dazwischen festbinden können. Die verschiedenen Schnitte auf dieser und der nächsten Seite verdeutlichen das Konstruktionsprinzip.

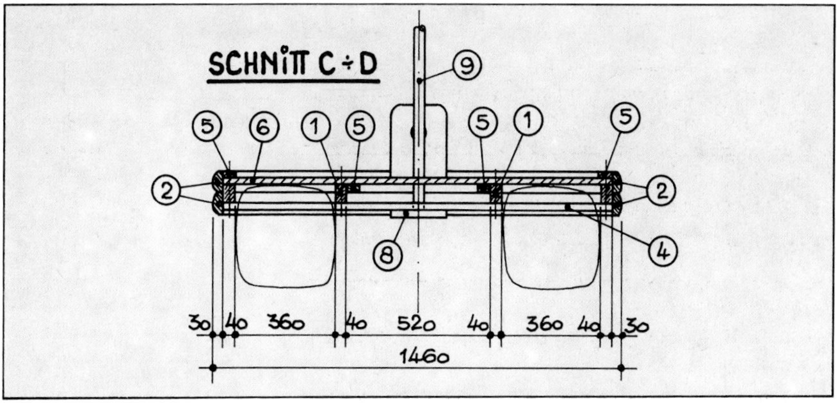

Dann fahr'n wir übern See – aber nicht auf einer hölzernen Wurzel, wie es in dem bekannten Kinderlied heißt, sondern auf einem richtigen gezimmerten Floß mit Segel und Ruder, das von acht Plastik-Kanistern zuverlässig über Wasser gehalten wird.

Wie Sie an den begeisterten Gesichtern der dreiköpfigen Besatzung erkennen können, ist das ein tolles Spielzeug, mit

Materialliste

Pos.	Anz.	Bezeichnung	Maße in mm	Material
1	4	Längsleisten	2610 lang	Fichte/Tanne 60×40 mm
2 3	4 4	Rahmenblenden Rahmenblenden	2670 lang 1400 lang	Fichte/Tanne 70×30 mm (ungefähr halbrund)
4 5	2 20	Querleisten Trägerleisten	1400 lang 514 lang	Fichte/Tanne 45×20 mm
6 7 8	25 1 1	Planken Mastführung Arretierung	1400 lang 600 lang 200 lang	Fichte/Tanne 95×20 mm
9	1	Mast	2150 lang	Ramin 35 mm ∅
10 11	2 1	Rahen Mastspitze	1700 lang 500 lang	Ramin 18 mm ∅

8 Plastik-Kanister 60 l (Maße ca. 360×360×630 mm); Stuhlwinkel; Schloßschrauben M6 mit Unterlegscheiben und Flügelmuttern; Seil; Markisenstoff 1200 breit, 1600 lang; Ruderhalterung (250×250) und Ruderblatt (400×300) aus 15 mm dickem, wasserfest verleimtem Industrie-Sperrholz (Reste); Ruderpinne 30 mm ∅, 2000 mm lang.

Vier Elemente aus Planken und Kanthölzern bilden das Deck des Floßes. Die Teile werden mit verzinkten Schnellbauschrauben verbunden. Denken Sie daran, alle scharfen Ecken und Kanten mit Raspel, Teller- oder Winkelschleifer zu brechen und abzurunden, damit keine Verletzungsgefahr besteht.

dem die Abenteuer von Tom Sawyer, Peter Pan oder anderen Helden prima nacherlebt werden können. Damit das Floß auf dem Autodach transportabel ist und platzsparend aufbewahrt werden kann, haben wir es zerlegbar konstruiert. Details vom Zusammenbau zeigen Ihnen die Fotos auf den folgenden Seiten. Die Maße und Bauelemente entnehmen Sie bitte den Zeichnungen und der Materialliste. Das Floß besteht aus preiswertem, sägerauhem Fichtenholz, das man mit einem ungiftigen Mittel nach dem Zuschneiden imprägnieren sollte. Schloßschrauben der Längen 80, 100 und 120 mm mit Flügelmuttern halten alles zusammen; die Kanister sind unter Deck festgebunden. Solche Behälter dürften wohl in jeder chemischen Reinigung anfallen. Mit etwas Findigkeit und einer höflichen Frage werden Sie sicher acht Stück davon ergattern können. Die ausgespülten (wichtig!) und leeren Behälter werden dauerhaft verschlossen; sicherheitshalber können Sie die Schraubdeckel zusätzlich mit Silikonmasse verkleben.

Der Bau beginnt mit dem Teilezuschnitt. Die einzelnen Elemente, nämlich die vier Deckplatten (davon eine mit Loch und Mast-Halterung) sowie die Längs- und Querstreben, werden mit Schnellbauschrauben verbunden. Am besten setzen Sie das Floß dann zusammen und bohren anschließend die Durchstecklöcher für die Schloßschrauben M6 mit 7,5 oder 8 Millimetern Durchmesser. So lassen sich die Schrauben leicht hineinstecken und von unten mit Unterlegscheiben und Flügelmuttern sichern. Zusammenbauen und Zerlegen des Floßes sind dann später kein Problem mehr, wenn die Teile gut markiert werden und zusammengehörende Bohrungen an allen Teilen mit gleichen Zahlen numeriert sind.

Der Mast steckt in einer Sacklochbohrung in dreifacher Bretterlage. Dazu wird ein Forstnerbohrer gebraucht. Das Segel besteht aus hübschem, rot-weiß gestreiftem Markisenstoff.

Wichtig ist die Sicherheitsausrüstung, wie bei jeder Art von Wassersport. Sie brauchen eine ohnmachtssichere Ret-

Rahmen- und Deckselemente sind mit Schrauben verbunden. Gelochte Winkel halten die Verkleidung.

Eine gebohrte Sperrholzplatte, mit einem Winkel achtern verschraubt, trägt das einfache Ruder, das auch, . . .

. . . seitlich angebracht, der Fortbewegung dienen kann, wenn solche zusätzlichen Riemendollen aus Sperrholz geschnitten und mit Winkeln angeschraubt werden. Wichtig: Alle Flügelmuttern liegen auf der Unterseite des Floßes, damit sich die „Seefahrer" nicht verletzen können.

tungsweste passender Größe für jedes Besatzungsmitglied und eine ausreichend lange Bootsleine, mit der das Floß vom Ufer aus bewegt und bei Bedarf wieder an Land gezogen werden kann.

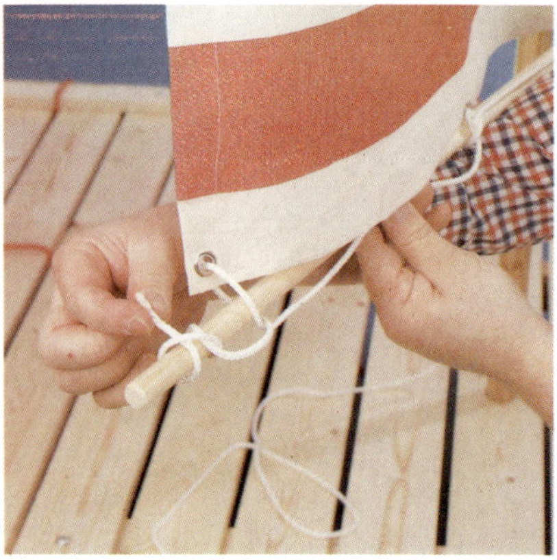

Schottbändsel werden an der unteren Rah mit einem zünftigen Webeleinsteck befestigt.

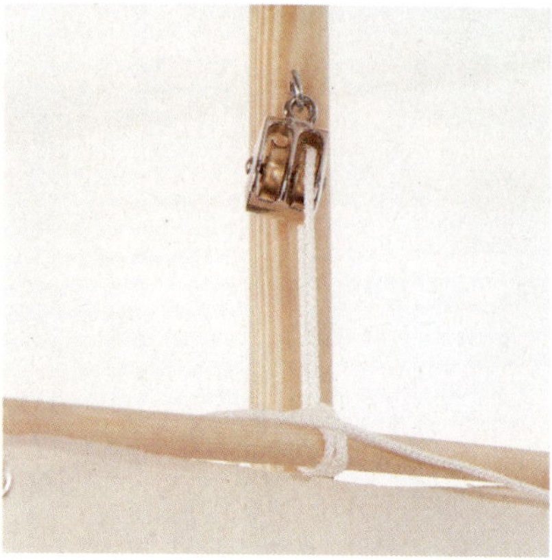

Wie beim Segelschiff: Das Fall zum Hissen der Rah läuft durch einen Block (Sie erhalten ihn im Boots-Fachgeschäft).

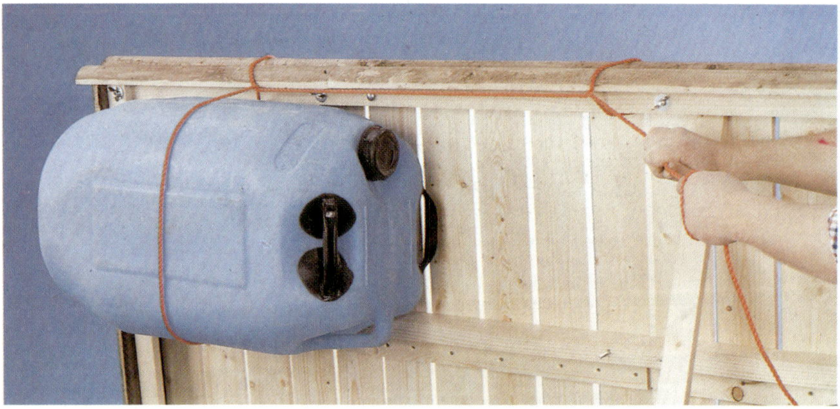

Die Plastik-Kanister passen genau zwischen die Längsträger. Sie werden mit einer Leine aus Polyäthylen (hält dem Wasser besser stand als Naturseile) ans Floß geschnürt und zusätzlich miteinander verknotet.

Geschicklichkeit ist Trumpf

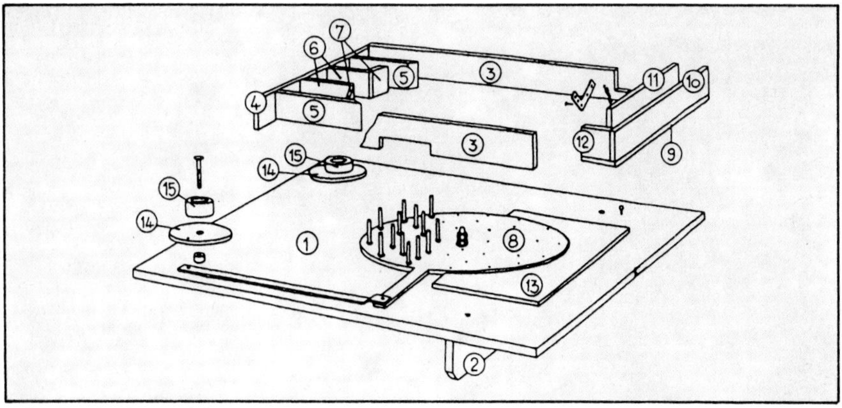

Die Explosionszeichnung macht deutlich, wie die einzelnen Teile zusammenzubauen sind. Am Teil 11 wird eine Rückholfeder befestigt, die den Winkel nach dem Anheben durch das Seil in seine ursprüngliche Lage zurückbringt.

Bei diesem Spiel gilt es, mit vier Tischtennisbällen die höchste Punktzahl zu erreichen. Dazu die Zielfelder wie folgt kennzeichnen: das mittlere mit zehn, die danebenliegenden mit dreißig und die äußeren mit fünfzig Punkten.

Beim Zusammenbau der nach der Materialliste zugeschnittenen Teile werden zuerst die Grundplatte und die Auflage verschraubt. Die Futterplatte bekommt einen der Drehscheibe entsprechenden Ausschnitt. Dann alle anderen Teile befestigen. Beim linken Seitenbrett vorher oben eine Ecke für den Ballkasten aussägen. Etwas tiefer ein Loch für die Zugschnur bohren. Das rechte Seitenbrett erhält vorher einen Schlitz für den Hebel, den Sie beim Ausschneiden der Scheibe seitlich stehen lassen. In vier verschieden großen Kreisen sitzen die Stifte gleichmäßig verteilt – im kleinsten vier, die folgenden dann auf Lükke. Den Hülsenring über das vorgebohrte Loch legen und die Schraube mit festziehen. Weil die Drehscheibe durch die Grundplatte hindurch mit Unterlegscheiben befestigt wird, bleibt sie drehbar. Im Ballkasten funktioniert der angeschraubte Stuhlwinkel wie eine Schranke, wenn später die Verbindungsschnur zum Drehkopf betätigt wird. Für die Drehknöpfe Holzscheibe und Knopf zusammenleimen und mittig mit einem Loch versehen. In die flachen Scheiben jeweils am Rand ein Loch bohren. Die Drehknöpfe sitzen beweglich auf Hülsen und werden mit Schloßschrauben auf der Grundplatte befestigt. Am rechten Knopf mit einer Schraube das Alu-Profil befestigen, welches am anderen Ende direkt mit dem Hebel der Drehscheibe verschraubt wird.

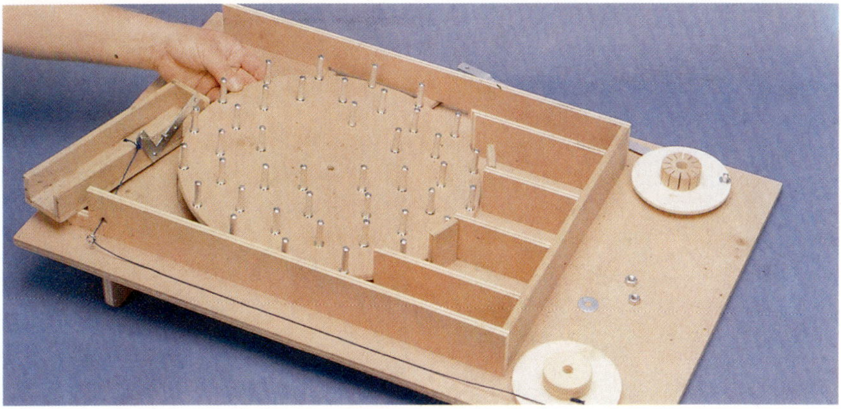

Das Geschicklichkeitsspiel im „Rohbau“. Es empfiehlt sich, die Einzelteile vor dem endgültigen Zusammenbau probehalber anzupassen, denn wenn nötig, läßt sich jetzt noch etwas korrigieren.

Materialliste

Pos.	Anz.	Bezeichnung	Maße in mm	Material
1	1	Grundplatte	750 × 500	Sperrholz
2	1	Auflage	500 × 40	15 mm dick
3	2	Seitenbretter	540 × 50	
4	1	Frontbrett	380 × 50	
5	2	Fachbretter	180 × 50	
6	2	Fachbretter	120 × 50	
7	2	Führungen	35 × 50	
8	1	Drehscheibe	∅ 360	Sperrholz
		dazu Hebel	80 × 20	10 mm dick
9	1	Grundplatte	250 × 60	
10	1	Führung	250 × 50	
11	1	Führung	200 × 50	
12	1	Führung	50 × 50	
13	1	Futterplatte	380 × 200	
14	2	Holzscheiben	∅ 120	Sperrholz 5 mm dick
15	2	Drehknöpfe	∅ 30	Fichte 20 mm dick

44 Hülsen mit Hülsenringen; 44 passende Linsenkopf-Schrauben; 1 Stuhlwinkel; 1 Alu-Flachprofil 20 × 2 × 400 lang; 1 kleine Feder; 3 Schloßschrauben; passende U-Scheiben; 1 Skt.-Mutter; 1 Hutmutter; Spanplattenschrauben; Holzleim.

Ein beweglicher Winkel am Ballkasten gibt später die Öffnung und damit den Ball frei.

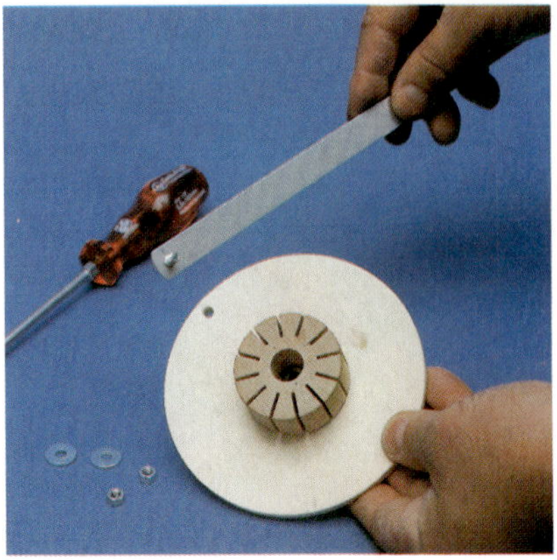

Damit die Drehknöpfe richtig griffig sind, schneidet man in sie ringsum Schlitze.

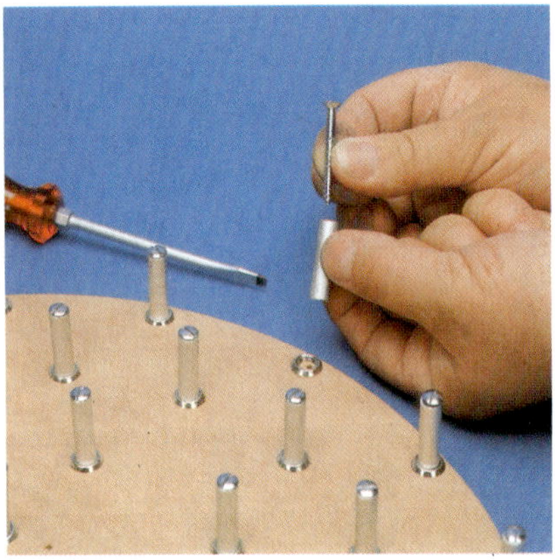

Die Stifte bestehen aus Hülse, Hülsenring und Linsenkopf-Schraube.

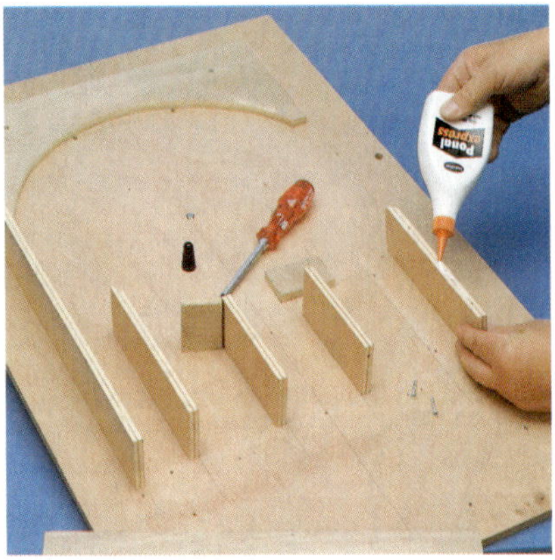

Die Einzelteile werden auf die Grundplatte geleimt und von unten verschraubt. Eine anschließende Grundierung schafft den richtigen Untergrund für den Lackauftrag.

Alle Neune
für Hobbydrechsler

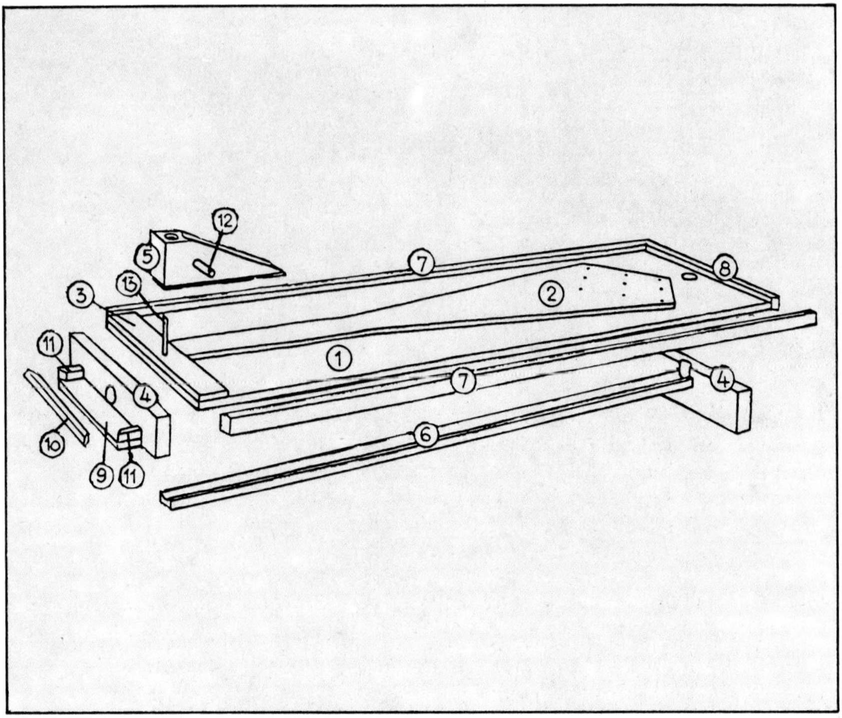

Die Mini-Kegelbahn ist aus preiswerten Materialien leicht zu bauen: Tischlerplatte, Sperrholz, Kanthölzer und Leisten lassen sich auf einfache Art verbinden.

Ideale Kombination: Neben dem Heimwerken gehört das Kegeln zweifellos zu den beliebtesten Freizeitbeschäftigungen der Bundesbürger. Was liegt also näher, als beide Hobbys in einem einzigen Projekt miteinander zu verbinden? Und zwar auf eine Weise, die auch Anfängern beider Disziplinen einen erfolgreichen Start sichert. Sie werden sehen: Der Nachbau unserer Tischkegelbahn wird Ihnen genauso viel Spaß machen wie hinterher das Spiel mit der rollenden Kugel. Aus der Zeichnung ersehen Sie, daß die Konstruktion kaum Schwierigkeiten bereitet: Alle Verbindungen lassen sich auf die einfachste Weise mit Leim und einigen Nägeln herstellen. Sämtliche Winkelschnitte an Kanten- und Randleisten betragen einheitlich 45 Grad und sind mit Hilfe der Gehrungslade leicht zu realisieren.

Unsere Kegelbahn gehört, wenn man so will, zu den halbautomatischen: Die Abschußrampe kann von Hand sowohl vertikal bewegt als auch seitlich geschwenkt werden. Um eine Kugel zielgenau zu starten, heben Sie die komplette Rampe so weit an, bis der abgeschrägte Auslöse-Dorn in der Bohrung verschwunden ist. Nun legt man eine Kugel auf, dreht die Rampe in die gewünschte Zielrichtung und senkt sie ab. Der Dorn bringt die Kugel ins Rollen. Am anderen Ende der Bahn landet sie, nachdem hoffentlich alle Neune gefal-

Um eine Kugel in Startposition zu bringen, hebt man die „Abschußrampe“, bis der Dorn versenkt ist.

Zum Drechseln der Kegel braucht man keine Drehbank; hier tut's auch ein Bohrmaschinen-Vorsatz.

Materialliste

Pos.	Anz.	Bezeichnung	Maße in mm	Material
1	1	Grundplatte	1128 × 236	Tischlerpl. 13 mm dick
2 3	1 1	Scherenplatte Abschlußplatte	1000 × 180 236 × 50	Sperrholz 10 mm dick
4	2	Querstützen	236 lang	Kiefer 70 × 30 mm
5	1	Führungsblock	185 lang	Kiefer 70 × 40 mm
6	1	Führungsleiste	1090 lang	Kiefer 45 × 20 mm
7 8	2 1	Kantenleisten Kantenleiste	1140 lang 260 lang	Kiefer 30 × 12 mm
9	1	Bodenbrett	170 lang	Kiefer 45 × 12 mm
10 11	1 2	Randleiste Randleisten	170 lang 45 lang	Kiefer 18 × 12 mm
12 13	1 1	Führungsgriff Führungsdorn	110 lang 85 lang	Dübelstange 14 mm ∅

8 Kegel, ∅ 13 × 65 lang; 1 König, ∅ 13 × 70 lang; Kugeln, ∅ 20 mm; Holzleim.

Das Ende der Bahn wird zum Loch hin leicht angeschrägt, damit die Kugel den Weg zurück findet. In einer Führungsrinne, die mit Gefälle zwischen den beiden Querstützen sitzt, rollt . . .

. . . sie unter der Bahn her und landet auf der Spieler-Seite griffbereit im Reservoir; bequemer geht's kaum noch.

len sind, in einem Loch und rollt von dort in einer Rinne zum Spielerplatz zurück.

Damit die Kugeln (am besten eignen sich Murmeln aus Glas) nicht am Ende der Bahn liegenbleiben, haben wir die gesamte Fläche hinter der Scherenplatte mit dem Schwingschleifer zum Loch hin leicht angeschrägt.

Die Rinnen in der Leiste und in der Abschußrampe lassen sich nur mit einem Fräser exakt in Form bringen; anders ist eine glatte, saubere Oberfläche kaum zu erzielen.

Schach an der Wand
C D E F G H
8 7 6 5 4 3 2 1
C D E F G H

Wie kommt das Pferd an die Wand? Ganz einfach: Sie bauen unser hängendes Schachbrett aus Eisenblech nach. Und damit die Spielfiguren nicht aus dem Rahmen fallen, erhalten sie auf der Rückseite Magnete. Neben der Platte aus Eisenblech (660 x 660 x 1,5 mm) benötigen Sie Limba-Sperrholz für die Figuren (50 x 25 x 6 mm), 33 Haftmagnete (∅ 25 mm, können ohne Ummantelung im Eisenfachhandel bestellt werden), Grundierung, weißen und schwarzen Sprühlack, dünnes Paketklebeband (50 mm breit), einen schwarzen Permanent-Filzstift, Zwei-Komponenten-Kleber, dünnen selbstklebenden Filz und einen Rahmen nach Wahl, der angepaßt werden muß.
Und so wird's gemacht: Die Platte mit Aceton reinigen, grundieren, zweimal weiß lackieren und vollflächig mit Paketband abkleben. Auf dieser Fläche die Felder und Ränder anzeichnen (Spielfelder 60 x 60 mm, schwarzer Anschlußrand 4 mm, weißer Rand 6 mm, schwarzer Abschlußrand 80 mm breit). Die später schwarzen Flächen mit Lineal und Federmesser freischneiden, die Platte zweimal schwarz lackieren, trocknen lassen und Paketband abziehen. Die weißen Abreibebuchstaben und -zahlen (Helvetica medium 717, 72 pt) anbringen.
Die Spielfiguren aussägen, Kanten schleifen, grundieren und zweimal mit Zwischenschliff lackieren. Die weißen Figuren mit schwarzem Filzstift umranden, die schwarzen Figuren erhalten weiße „Lichter". Mit Filz versehene Magnete auf den Rückseiten festkleben, damit die Spielfiguren gut haften, ohne die Spielfläche zu zerkratzen. Der 33. Magnet bleibt solo und zeigt an, wer am Zug ist.

Nachdem die Blechplatte fertiggestellt und gerahmt worden ist, kommen die Figuren an die Reihe. Man schneidet sie am besten aus Limba-Sperrholz mit der Dekupier- oder der Laubsäge aus . . .

. . . und schleift alle Schnittkanten sorgfältig nach. Anschließend bekommen sie ihren Anstrich, werden also in Schwarz und Weiß aufgeteilt. Klebt man unter die Magnete der Figuren dünnen Filz, so schont das den Lack des Schachbretts ganz beträchtlich.

Mobiles Fußballtor

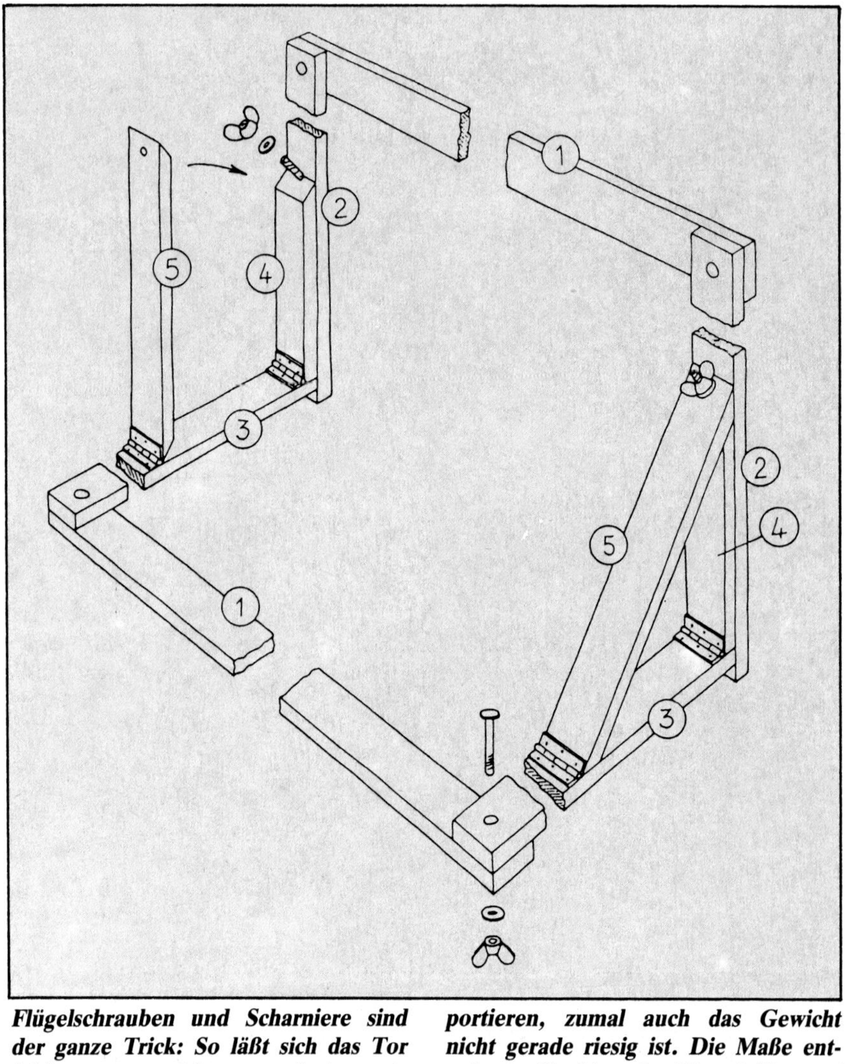

Flügelschrauben und Scharniere sind der ganze Trick: So läßt sich das Tor leicht zusammenklappen und ohne großen Aufwand zu jedem Spielort transportieren, zumal auch das Gewicht nicht gerade riesig ist. Die Maße entnehmen Sie bitte der Materialliste auf der gegenüberliegenden Seite.

Hand aufs Herz. Hätten Sie nicht auch als kleiner Junge von solch einem Fußballtor geträumt? Das sich quasi im Handumdrehen auf- und wieder abbauen läßt und – wie die Schultaschen, die sonst als Pfosten dienen müssen – so von „Turnier" zu „Turnier", von Bolzplatz zu Bolzplatz mitgenommen werden kann? Stabil genug ist es auch. Obwohl die 70 mal 20 Millimeter dicken Bretter aus gehobeltem Kiefernholz stramm getretenen Lattenschüssen von Klinsmann & Co. nicht Paroli bieten können, halten sie den Erforder-

nissen des Nachwuchses stand. Obendrein dürfte es mehr Geschick erfordern, einen echten Bodo-Illgner-Nachfolger zwischen den Pfosten zu überlisten, als das „Gehäuse“ nachzubauen.
Wenn die Bretter nach den Angaben in unserer Materialliste zugeschnitten sind, erhalten die Pfosten Verstärkungsbretter, die oben (im 45-Grad-Winkel) abgeschrägt werden. So lassen sie sich per Flügelschrauben bündig mit den ebenfalls abgeschrägten Streben (5) verbinden. Die Verstärkungsbretter werden mit 4,4 cm Abstand vom Boden an die Pfosten (2) geschraubt und verleimt.
Alle Teile sollten mit Sandpapier geschliffen und zunächst grundiert werden, bevor man die restlichen Unebenheiten spachtelt und noch einmal schleift. Der Schutzanstrich besteht aus weißer Acrylfarbe, auf die zur Dekoration nach dem Trocknen rote selbstklebende Vinylfolienstücke aufgebracht werden. Durch die Streben (5) und die oberen Enden der Verstärkungsplatten (4) bohren Sie Löcher mit zehn Millimeter Durchmesser im Winkel von 45 Grad zur Aufnahme der Flügelschrauben vor. Gleich große Löcher erhalten Pfosten und Latte an ihren Verbindungspunkten und die Bretter des Stützrahmens.
Beim Zusammenbau setzt man je einen Pfosten (2) und ein Stützbrett (3) mit Metallscharnieren (oder, sofern vorhanden, auch Klavierband) zusammen und montiert die Schrägstützen (5) mit den Flügelschrauben. Die um die Teile (4) verstärkten Pfosten (2) und das Stützbrett (3) am besten rechtwinklig aufeinanderhalten, während die Schrägstützen mit dem Scharnier am Stützbrett befestigt werden.
Dank der 4 Scharniere und der 6 Flügelschrauben ist das Tor mit Minimalaufwand schnell zusammengelegt, so daß es sich nach dem Spiel bequem auf dem Dachgepäckträger transportieren und dann zu Hause in jeder Nische verstauen läßt.

Materialliste

Pos.	Anz.	Bezeichnung	Maße in mm	Material
1	2	Querleisten	3420 lang	Kiefer 70×20 mm
2	2	Pfosten	1700 lang	
3	2	Stützbretter	1700 lang	
4	2	Verstärkungen	300 lang	
5	2	Streben	470 lang	

6 Schloßschrauben M8×60 mit U-Scheiben und Flügelmuttern; 4 Scharniere; Schrauben für Scharniere; Holzleim.

Ideal nicht nur für Heimspiele ist unser Klapptor, denn es läßt sich ohne größere Probleme auch auf dem Dachgepäckträger des Autos transportieren.

In Ihrem „Stadion" angekommen, ist das Fußballtor im Handumdrehen aufgebaut.

Scharniere verbinden Tor- und Trägerrahmen; wichtig: Achten Sie darauf, daß alle Holzteile glatt verarbeitet wurden, also die Gefahr von Holzsplittern weitestgehend ausgeschaltet ist.

Wenn die Stützen erst einmal mit Hilfe der Flügelschrauben arretiert sind, kann der Anstoß sofort erfolgen.

Luxus-Suite für Dickie

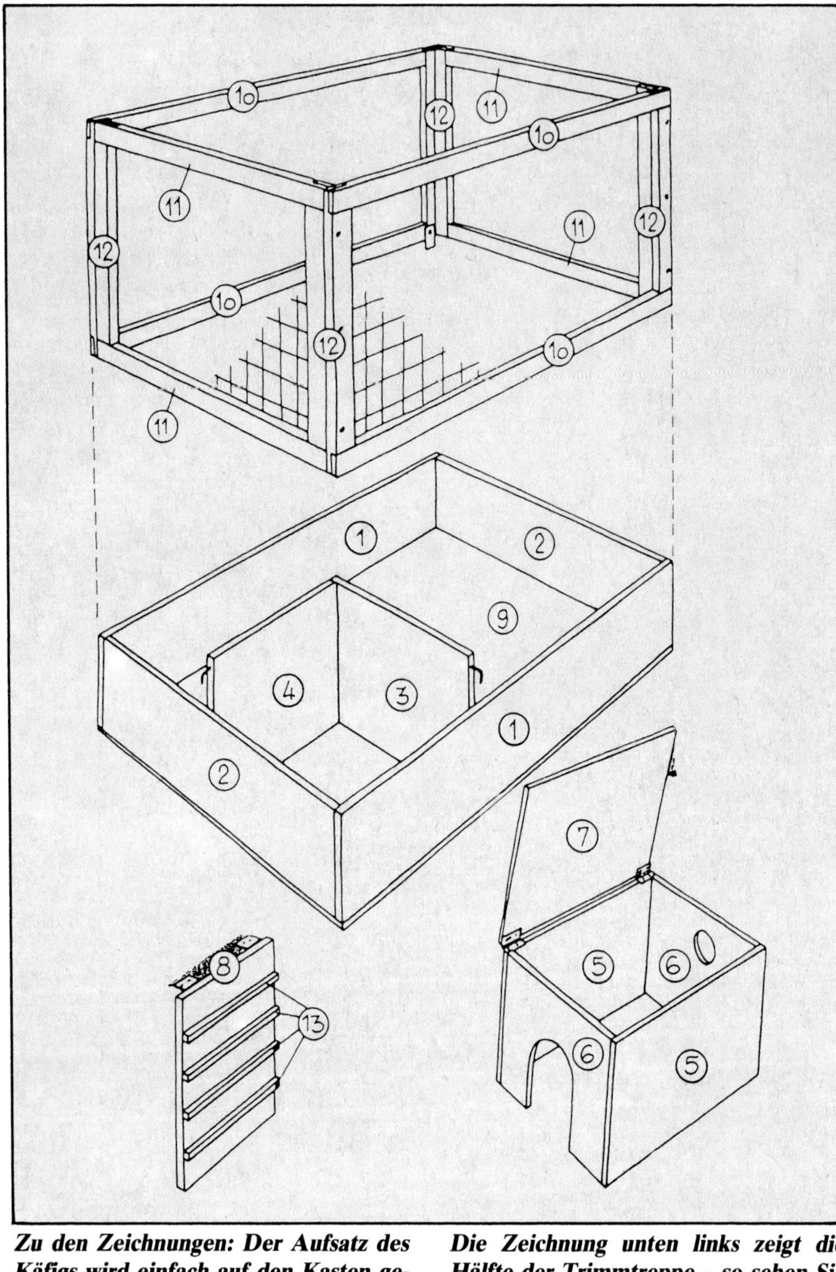

Zu den Zeichnungen: Der Aufsatz des Käfigs wird einfach auf den Kasten gesetzt. Kleine Führungsbleche in den unteren Ecken des Aufsatzes verhindern, daß er verrutscht oder gar herunterfällt.

Die Zeichnung unten links zeigt die Hälfte der Trimmtreppe – so sehen Sie genau, wo die beiden Scharniere montiert sind. Daneben die Zeichnung des Schlafhauses mit Klappe und Guckloch.

Darf ich mich vorstellen? Ich heiße Dickie, bin ein Meerschweinchen und seit einiger Zeit stolzer Besitzer einer ganz tollen Behausung, ach, was sag ich, einer Luxus-Suite. Bei meiner Familie werde ich wirklich verwöhnt – wie im Hotel: immer frische Streu, täglich köstliches Wasser und Frischfutter. Wenn ich meine Ruhe haben will, begebe ich mich ins „Schlafzimmer“! Da bin ich dann erst einmal unsichtbar, kann aber selbst einen Blick riskieren: entweder durch die Eingangsöffnung oder das gegenüberliegende Guckloch. Bleibe ich allerdings zu lange im kuscheligen Schlafgemach, so daß sich die Meinen eventuell Sorgen machen, können sie einfach das Dach hochklappen – es ist mit kleinen Scharnieren befestigt – und sich nach dem Wohlergehen ihres Haustieres erkundigen. Sehr praktisch finde ich auch die im Wohnzimmer integrierte Eßecke, wo ich mühelos meinen Hunger stillen kann. Etwas mehr Energien muß ich dagegen aufwenden, wenn ich mich vergewissern will, ob mein geliebter Heuvorrat noch für die nächsten Wochen ausreicht – der Weg dorthin ist nur über eine Trimm-Treppe zu erreichen; gut für die schlanke Linie. So, damit wäre der Rundgang durch mein Domizil beendet. Sicher interessiert Sie nun, wie es gebaut wird. Also:

Zuerst leimt und nagelt man die Teile (1), (2) und (9) stumpf zum Kasten zusammen. Durch Überblattung verbinden Sie die Stützen (12) und Längsleisten (10) bzw. Querleisten (11) zu einzelnen Rahmen, die später mit je drei Schrauben pro Seite zum Aufsatz montiert werden. Vorher aber tackert man Drahtgitter-Zuschnitte, die etwas größer als die Rahmen-Innenöffnung sind, auf.

Dafür, daß der Gitteraufsatz später auf dem Kasten hält, sorgen Führungsbleche in den unteren Innenecken, die

Materialliste

Pos.	Anz.	Bezeichnung	Maße in mm	Material
1	2	Längsseiten	600 × 96	Sperrholz 10 mm dick
2	2	Stirnseiten	380 × 96	
3	1	Zwischenwand	200 × 150	
4	1	Zwischenwand	190 × 150	
5	2	Längswände	250 × 140	
6	2	Stirnwände	180 × 140	
7	1	Klappe	250 × 200	
8	2	Leiterplatten	145 × 100	
9	1	Bodenplatte	600 × 400	Sperrholz 4 mm dick
10	4	Längsleisten	604 lang	Kiefer 22 × 12 mm
11	4	Querleisten	380 lang	
12	8	Stützen	300 lang	
13	8	Leitersprossen	100 lang	Kiefer 5 × 3 mm

Drahtgitter, 2,5 cm Maschengröße; 4 Führungsbleche; 4 Scharniere; 2 Haken; Nägel; Spanplatten-Schrauben; Holzleim; Vinylfolie.

nach unten etwa 20 mm hervorstehen.
Ehe die Wände (5) und (6) des Schlafhauses verleimt und vernagelt werden, sägt man in eine Stirnwand das Guckloch (Ø 40 mm), in die andere die Eingangsöffnung (50 breit, 130 mm hoch). Dann die Klappe (7) mit kleinen Scharnieren montieren.

Die beiden Leiterplatten (8) mit je vier Sprossen (13) bekleben und mit zwei Scharnieren verbinden.

Damit's schöner aussieht, werden Nägel und Schrauben immer versenkt und die Löcher mit Holzkitt ausgespachtelt. Dann gründlich schleifen. Das Innere des Kastens können Sie noch mit Vinylfolie auskleben. Das macht das Reinigen etwas leichter – denn spätestens jeden zweiten Tag sollten die Holzspäne erneuert werden.

Die beiden Zwischenwände (3) und (4) zusammenfügen. Zur Fixierung dieser Heuvorrat-Abtrennung setzt man die Wandung in den Kasten ein und dreht dann kleine Haken direkt über einem querverlaufenden Draht des Gitters in die Schmalkanten. So kann man die Abtrennung später leicht wieder herausnehmen. Den Futterkorb können Sie selbst aus Draht biegen.

Den Kasten kann man natürlich noch mit Folie auskleiden, damit er sich leichter sauberhalten läßt. Sie sollten aber dennoch nicht vergessen, die Streu mindestens alle zwei Tage zu erneuern, damit kein Geruch entsteht.

Sanfte Hilfe für Stacheltiere

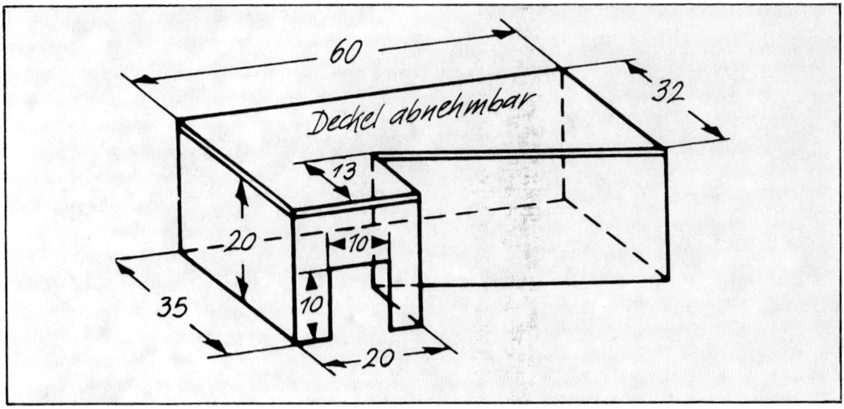

Dieser Hauskasten hat sich bewährt. Er wird ausgepolstert und gibt dem stachligen Freund Geborgenheit sowie den nötigen Schutz vor Kälte und natürlichen Feinden. Ideal ist dieses Häuschen vor allem für die Igel, deren „Besitzer" einsichtig genug sind, ihren nützlichen Gartenbewohner nicht mit ins Haus nehmen zu wollen.

Stichhaltige Gründe sprechen dafür, den Garten so zu gestalten, daß sich ein stacheliger Vierbeiner dort zu Hause fühlt. Der Igel macht sich jede Nacht auf die Socken und marschiert kreuz und quer durch den Garten. Was ihm dabei an Schnecken oder Raupen in den Weg läuft, wird hurtig vertilgt. Allerdings hat der Igel für ausgeputzte Rasenflächen mit geharkten Beeten, ausrasierten Taxus- oder Fichtenstämmen nichts übrig. Er braucht ein bißchen Dickicht, einen Komposthaufen oder Holzstapel, kurz: einen natürlichen Garten, der nicht gegen, sondern mit der Natur bewirtschaftet wird. Völlig sinnlos ist es zum Beispiel, die Schnecken mit giftigem Schneckenkorn zu bekämpfen, wenn man statt dessen einen Igel ansiedeln kann; denn das Gift tötet nicht nur die Schnecken, sondern auch ihre natürlichen Feinde, wie zum Beispiel den Igel.

Chemie, Flurbereinigung und Raubbau an der Landschaft haben den Igel zur gefährdeten Art gemacht. Sie können ihm – und Ihrem Garten – helfen, wenn Sie ihm eine natürliche Umgebung schaffen. Das ist gar nicht schwer; oft genügt es, ein paar Quadratmeter Garten einfach in Ruhe zu lassen, nichts mehr zu tun. Allerdings gibt es noch immer Siedlungs- und Gartensatzungen, die das verbieten – leider. In so einem Fall kann das Igelhäuschen, an einem versteckten Platz unter Sträuchern aufgestellt, möglicherweise als Ersatz probiert werden. Versuchen Sie bloß nie, den Igel wie ein Meerschweinchen in der Wohnung zu halten. Wer ihm die Freiheit nimmt, bringt ihn damit ums Leben.

Sie können ihm aber helfen, über den Winter zu kommen, indem Sie im Herbst draußen etwas geeignetes Futter hinstellen; Hundefutter aus der Dose oder Hackfleisch ist das Richtige. Noch einmal: Nehmen Sie den Igel nicht ins Haus! Eine besondere Ausnahme ist die Überwinterung eines unterernährten Igelchens im Haus. Sie brauchen dazu eine Menge Fachkenntnis und die Bereitschaft, sich täglich um das Tier zu kümmern. Falsch verstandene Tierliebe, zu frühes Einsammeln, falsche Ernährung und Unterbringung bereiten dem Wildtier nur Qualen. Hilfe braucht ein Igel nur, wenn er im November unter 500 Gramm schwer ist oder wenn Sie mitten im Winter ein Exemplar finden. Machen Sie sich klar, daß ein Gang zum Tierarzt fällig ist und daß der Igel einen Auslauf von zwei Quadratmetern oder mehr in einem kühlen, aber frostfreien Raum braucht, um Winterschlaf zu halten, oder einen Raum von etwa 18 Grad, um die kalte Jahreszeit anders heil zu überstehen. In jedem Fall wird eine Behandlung durch den Tierarzt erforderlich sein. Die Igel leiden im Herbst unter Parasiten und Infektionen. Wenn Sie einen Igel finden, von dem Sie annehmen, daß er krank ist, können Sie ihn zunächst abbrausen, trocknen (Tuch, niemals Fön!) und dann zum Tierarzt bringen.

Denken Sie aber bitte daran, daß Hilfsmaßnahmen wie das Zufüttern oder die Überwinterung bei weitem nicht so wirksam sind wie eine naturnahe Garten- und Landschaftsgestaltung sowie der Verzicht auf giftige Mittel.

Als Material für die Schlafstätte unseres Stacheltieres kommen nur unbehandelte Hölzer in Betracht. Die empfindlichen Tiere sollten unseren so „ganz normalen“ Umweltbelastungen nicht ausgesetzt werden.

Ein Schlafkistchen. Ein Karton tut's auch; den sollte man allerdings gut sichern, denn wem hilft es, wenn die Behausung stimmt, aber nicht das Umfeld, sprich z.B. der friedliche Hund, von dem der Igel nicht weiß, ob er wirklich friedlich ist.

Hack- oder Dosenfleisch, Hundeflokken und gelegentlich Quark oder ein Ei, damit kann man den Igel soweit aufpäppeln, bis er in der Lage ist, den Winterschlaf unbeschadet zu überstehen.

Zwischen Gestrüpp, Haufen von Laub und Stapeln von Ästen und Zweigen, in Hecken und Komposthaufen fühlt sich der Igel wohl. Jede hölzerne Hütte kann nur ein Notbehelf sein.

Vogelbauer mit Pfiff

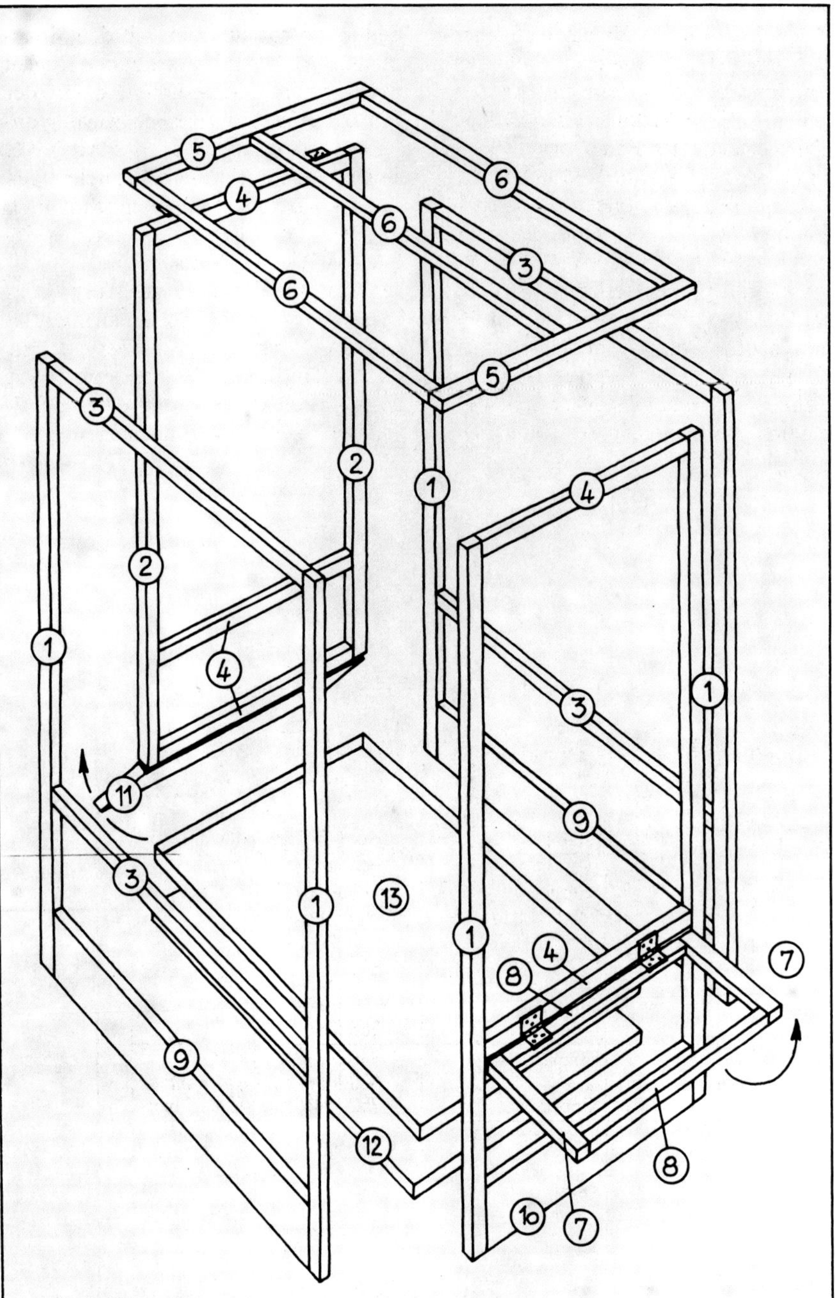
5
6
4
6
3
6
5
3
2
2
1
1
4
1
3
4
11
9
3
1
13
1
4
8
7
9
12
8
10
7

Gleichgültig, ob Sie einen „Sänger" oder einen „Sprecher" beherbergen: Er wird sicher gern mit Ihnen einen zwitschern, wenn er sein neues Domizil bezieht. Das Bauer bauen Sie in ein paar Stunden. Kiefernleisten, auf 16 x 12 mm gehobelt, bilden das Gerüst. Seiten und Deckel werden zunächst einzeln verleimt und verschraubt, mit Drahtgeflecht bespannt und im unteren Bereich zusätzlich verglast, damit Federn, Körner und Unrat sich nicht im Zimmer verteilen. Klappen in beiden Giebeln erleichtern das Füttern des Vogels und die Reinigung des Käfigs. Die Seiten verschraubt man mit dem Spanplatten-Boden und befestigt den Deckel wiederum mit Scharnieren, damit der Bewohner ab und zu einen Ausflug unternehmen kann. Wer das verzinkte Bodenblech nicht selbst zuschneiden und die Kanten umbiegen möchte, muß die Maße des Bauers einer fertig gekauften Wanne anpassen.

In diesem Vogel-„Hochhaus", das schon durch seine Größe den meisten Fabrik-Käfigen haushoch überlegen ist, können Sie Ihrem Liebling getrost statt des üblichen kleinen Stiels einen richtigen Ast zur Verfügung stellen

Materialliste

Pos.	Anz.	Bezeichnung	Maße in mm	Material
1	6	Stützen	800 lang	Kiefer gehobelt 16 × 12 mm
2	2	Stützen	730 lang	
3	4	Längsleisten	560 lang	
4	5	Querleisten	320 lang	
5	2	Querleisten	378 lang	
6	3	Längsleisten	592 lang	
7	2	Längsleisten	150 lang	
8	2	Querleisten	286 lang	
9	2	Längsbretter	560 lang	Kiefer gehobelt 70 × 12 mm
10	1	Querbrett	320 lang	
11	1	Klappe	352 lang	
12	1	Bodenplatte	568 × 352	Spanplatte 16 mm dick
13	1	Wanne	566 × 350 Ränder 20 mm hoch	Zink ca. 1 mm dick

Spanplattenschrauben; Nägel; 6 Scharniere; 3 Haken; Holzleim; Stahldrahtnetz, ca. 2000 × 800 mm (Maschengröße 25 × 12 mm); Glas oder Acryl für die Seiten.

Eine zusätzliche Leiste in der Mitte des beweglichen Deckels sorgt für die nötige Stabilität, ohne dem gefiederten Freund die Aussicht wesentlich zu verbauen. Um ihm aber den Weg nach draußen zu versperren, sollte man den Verschlußhaken nicht vergessen.

Die Glas- oder Acrylscheiben lassen Sie sich am besten vom Fachmann zuschneiden. Diese durchsichtige Verkleidung soll verhindern, daß Federn, Körner und Unrat sich nicht mehr oder weniger gleichmäßig im Zimmer verteilen. Statt des verzinkten Bodenblechs kann man natürlich auch eine flache Kunststoffschale nehmen und das Bauer in den Maßen entsprechend ändern, also praktisch um die Wanne herumbauen.

Vogelhäuschen aus Keramik

Den Boden der Vogel-Villa bildet eine Platte von 30 cm Durchmesser und einer Stärke von 15 mm. Mit einer Gabel werden die Kontaktflächen aufgerauht, ehe man den Wulst auflegt.

Sogenannter Tonschlicker – ein suppig angerührter weißer oder farbiger Tonbrei – bildet das Bindemittel zwischen den einzelnen Elementen.

Wenn Sie sich bereits die ersten Sporen beim Töpfern verdient haben, suchen Sie jetzt vielleicht nach neuen, etwas ausgefalleneren Anregungen, etwas anderem als den üblichen Vasen, Schalen oder Reliefs. Warum also nicht einmal an die Vögel denken, die im Garten oder auf dem Balkon auf Fütterung hoffen. Wir stellen dazu ein Futterhäuschen vor, das in der sogenannten Additiv-Technik gefertigt wurde. Für das Häuschen brauchen Sie etwa eine halbe Stange schamottierten Ton. Das Material wird – wie üblich – sorgfältig geschlagen und geknetet, bis Lufteinschlüsse und Knoten verschwunden sind.

Für den Boden der Vogel-Villa wird eine Platte von 30 cm Durchmesser und 15 mm Dicke vorbereitet. Die Wände bestehen aus 15 bis 20 mm dicken Wülsten, die man an den Kontaktstellen aufrauht und mit Tonschlicker als Bindemittel zusammenpreßt. Unter Tonschlicker versteht man einen „suppig" angerührten Tonbrei, weiß oder farbig. Damit die luftige Konstruktion nicht während der Arbeit in sich zusammenfällt, werden die Torbögen zunächst durch passende kleine Tonsäulen unterstützt. Die Ringe für die Fenster bereitet man schon einen Tag vorher vor, dann sind sie ledertrocken und schon recht stabil. Außerdem wird nach dem Auflegen des dritten Wulstes eine Arbeitspause von einem Tag eingelegt.

Die Fensterringe wurden schon einen Tag vorher angefertigt und konnten daher im Liegen trocknen. Jetzt sind sie lederhart und können in das Häuschen eingebaut werden, ohne gleich wieder zusammenzufallen. Außerdem wird nach dem Auflegen des dritten Wulstes eine Arbeitspause von einem Tag eingelegt; dann erst ziehen wir die Wand vollständig hoch.

Dann erst ziehen wir die Wand vollständig hoch.

Anschließend wenden wir uns dem Dach zu. Als Schablone dient ein runder Pappkarton von 50 cm Durchmesser, aus dem wir ein 20 cm breites Segment ausschneiden. Die Kanten des Kartons werden dann überlappend verklebt, so daß sich deutlich die Form eines Kegels bildet.

Man legt dann drei dünne Tonplatten in den Kegel, die die Fläche der Schablone überlappend vollständig bedecken. Mit drei Doppelschnitten können Sie die Überstände abtrennen. So erhalten Sie drei exakt zueinanderpassende Segmente.

Nachdem diese Teile leicht angetrocknet sind, werden sie – wiederum mit Schlicker als Bindemittel – zusammengefügt. Das Dach umstülpen, die Außenseite glattstreichen und anschließend strukturieren. Jetzt können Dach und Unterbau zum endgültigen Trocknen aufeinandergesetzt werden. Dazu sorgfältig in Plastikfolie einpacken.

Die grüne Glasur wird bei der Wand mit Hilfe von Malbällchen und Blasröhrchen aufgespritzt. Das Dach glasieren Sie mit einem breiten Pinsel. Mit einem Zwei-Komponenten-Kleber werden die beiden fertigen Teile zuletzt miteinander verbunden.

Und nun zum Dach: Mit einem Doppelschnitt trennt man den Überstand der überlappenden Dachplatten ab.

Die drei exakt zueinander passenden Teile werden ebenfalls mit Schlicker verbunden.

Die strukturierte Oberseite des Dachs kann man mit einem breiten Pinsel glasieren. Für die Glasierung des Unterbaus benutzt man besser Malbällchen und Blasrohr. Zum Schluß kommt die

Endmontage: Die fertigen Einzelteile verbindet man mit einem Zwei-Komponenten-Kleber. Jetzt können der Winter und hungrige Vögel kommen.

Minigärten in Gläsern

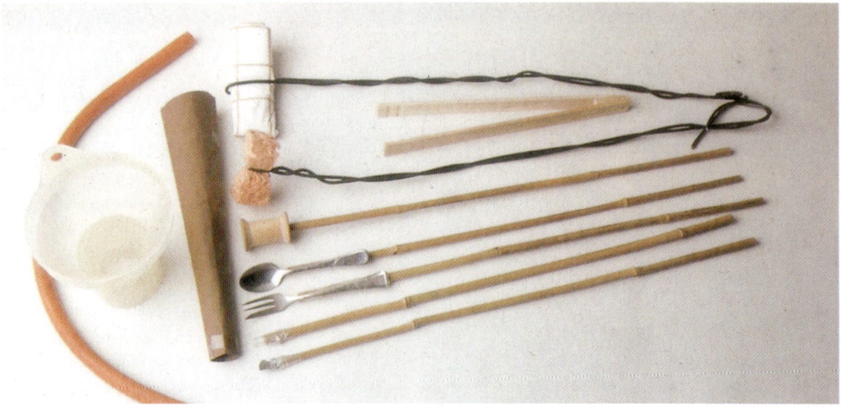

Die meisten Werkzeuge zum Einfüllen der verschiedenen Schichten sowie zum Bepflanzen und Säubern des Gefäßes lassen sich ohne große Mühe selbst anfertigen.

Ob Ballon, Aquarium oder Apothekerflasche – fast alle Glas- und Kunststoffgefäße eignen sich zur Aufnahme eines Minigartens. Die einzige Bedingung: Sie müssen genügend Licht durchlassen.

Ist dieser „Garten" richtig angelegt und fest verschlossen (Korken, Glasplatte, Folie), wird er zu einer ölologisch ausgewogenen Mikrowelt, die sich selbst reguliert. Da ist zunächst der Wasserkreislauf: Der über die Blätter abgegebene Wasserdampf kondensiert am Glas und rinnt als Wasser zu den Wurzeln zurück. Auch der Gashaushalt ist ausgewogen: Tagsüber nimmt die Pflanze Kohlendioxid aus der Luft sowie Wasser aus dem Boden auf und produziert Traubenzucker und Sauerstoff. Nachts nimmt sie Sauerstoff auf und gibt Kohlendioxid ab. Der Überschuß wird von Mikroorganismen im Boden verbraucht.

Vor allem feuchtigkeitsliebende Blatt- und Blühpflanzen fühlen sich in den Flaschengärten wohl, z.B. kleinwüchsige Farne, Efeu, Moosfarne, kleinblättrige Philodendronarten und kleine Orchideen.

Der Pflegeaufwand ist gering, wenn das Feuchtigkeits-Gleichgewicht im Glas erst einmal hergestellt ist. Es darf weder zu feucht noch zu trocken sein. Nach dem ersten Angießen kontrolliert man einige Tage den Beschlag der Innenwand. Täglich starker Beschlag deutet auf zuviel Feuchtigkeit, dann muß gelüftet werden. Verschwindet der Beschlag jeweils gegen Mittag, stimmt der Feuchtigkeitsgehalt.

Zumn Gießen des Flaschengartens wird Leitungswasser durch Abkochen oder durch Zusatz von Torf enthärtet.

Der Minigarten braucht zwar viel Licht und Wärme, doch sollte er nicht in der prallen Sonne oder in unmittelbarer Nähe von Heizkörpern stehen.

Offene Flaschen-Gärten müssen einmal wöchentlich gegossen werden.

Die Bodenschicht wird aus Kies, Holzkohle, Sand und Blumenerde aufgebaut. Zunächst kommt die Kiesschicht, dann eine dünne Schicht Holzkohle, schließlich werden Sand und Blumenerde mit dem Trichter eingefüllt.

Die ausgewählte Pflanze – hier ein buntblättriger Kronton – wird vorsichtig aus dem Topf gelöst.

Anschließend entfernt man mit einer Gabel behutsam die lockere Erde vom Wurzelballen. Geknickte Wurzeln sollte man dabei gleich abschneiden.

Jetzt sind Geschicklichkeit und Geduld gefragt, denn es ist nicht ganz einfach, sperrige Pflanzen unverletzt durch den engen Flaschenhals zu bringen. Am besten wickelt man sie fest in Zeitungspapier ein und schiebt die so entstandene Rolle durch den Flaschenhals.

Dann drückt man die Pflanze mit einem dünnen Stab am Boden fest, lockert vorsichtig das Papier und zieht es langsam heraus. Nun wird die Pflanze in die vorbereitete Mulde geschoben. Anschließend drückt man die Wurzeln mit einer Fadenspule fest an.

Nun werden die Wurzeln mit Erde bedeckt, die man ebenfalls „feststampft". Mit Hilfe eines bis an die Wurzeln reichenden Schlauchs wird die Erde gut durchfeuchtet. Jetzt bleibt nur noch, das Glas mit Schwamm und Papier zu säubern.

Junger Sproß auf alten Sprossen

Eigentlich reif für den Sperrmüll, die alte Haushaltsleiter. Was man mit wenig Mühe und Material sowie ein bißchen Farbe noch daraus machen kann, haben Sie auf der vorhergehenden Seite gesehen.

Fristet bei Ihnen eine alte Haushaltsleiter ihr Dasein in Garage oder Abstellkammer – ausrangiert und auch schon recht ramponiert? Der Sperrmüll wäre die eine Lösung – wir zeigen Ihnen die interessantere: Aus der unbrauchbaren Stehleiter wurde eine schmucke und nützliche Blumentreppe.

Zuerst alle Schadstellen im Holz spachteln und schleifen. Dann benötigen Sie Massivholzbretter, die nicht länger als 40 Zentimeter sein sollten; die Breite richtet sich nach der Stufenbreite der Leiter. Am vorstehenden Ende können Sie die Brettform individuell gestalten. Die Schnittkanten leicht brechen und die Bretter von unten mit den Stufen verschrauben. Zusätzlich können Sie noch Leim auf die Verbindungsstellen geben. Zum Schluß lackieren Sie die Leiter in Ihrer Lieblingsfarbe. Hübsche Beschläge geben der Blumentreppe den letzten Pfiff.

Schmucke Köpfe für Kopfschmuck

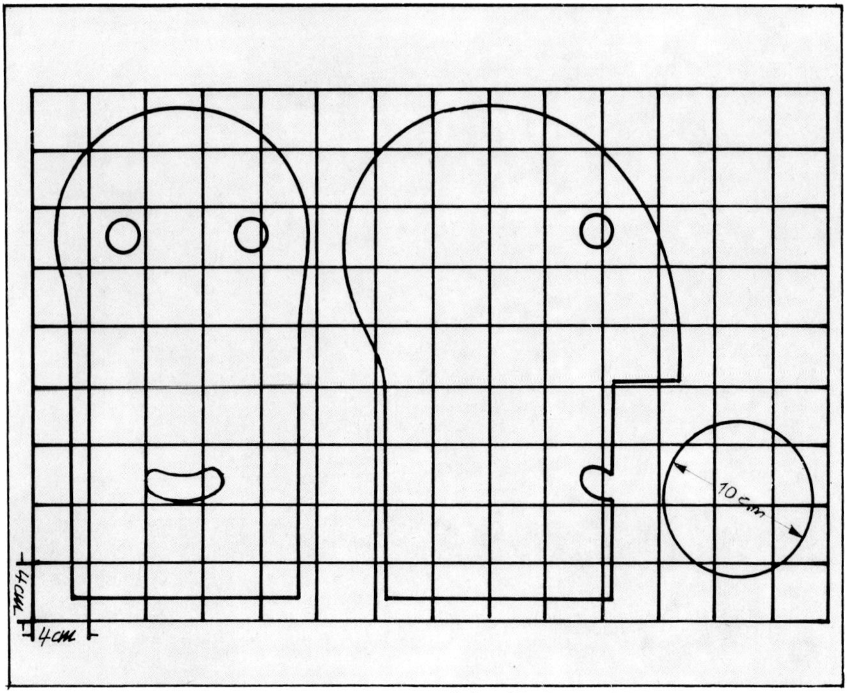

Hier die Kopfmuster auf Raster, bei dem die Seitenlängen eines der Quadrate 40 mm entspricht. An Werkzeugen und Hilfsmitteln sollten Sie sich folgendes zurechtlegen: Töpfermesser, Nudelholz, Metallniere, Schwamm, Schneidedraht, Holz- oder Gipsplatte als Unterlage und eine Gabel. Außerdem noch die Werkzeuge, die Sie zum Anfertigen der Pappschablonen benötigen.

Musik über Kopfhörer zu lauschen, kann, das werden nicht nur hartgesottene Stereo-Fans bestätigen, süchtig machen – nach noch mehr Musik. Voraussetzung dafür ist natürlich die Verwendung eines guten Kopfhörers, der auch, wenn er mal nicht gebraucht werden sollte, möglichst pfleglich aufgehoben sein will. Was tun? Ihn an die Stereoanlage hängen? Auf den Plattenspieler legen? Sich einen der ewig gleichen Glasköpfe kaufen? Wir haben eine bessere Idee. Sie bauen sich einen höchst individuell, ja sogar schon ein bißchen eigenwillig wirkenden Hörerständer mit den eigenen Händen – aus Ton. Oder gleich zwei, den anderen leicht abgewandelt, als alternativen Blumentöpfchenständer. Mit Hilfe der Rasterzeichnung oben erstellen Sie zunächst die Schablonen aus Pappe. Nachdem der Ton geschlagen und geknetet worden ist, wird er zu einer 10 mm dicken Platte ausgewellt. Jetzt die Schablone auflegen und rundum die Form mit dem Töpfer- oder Küchenmesser ausschneiden. Die Augen am besten mit einem kleinen Deckel oder einer anderen entsprechenden Form ausstechen. Die Kanten der ausgeschnittenen Teile abrunden und die Flächen mit Metallniere glätten.

Und hier sind schon zwei der Schablonen, die nach dem Raster auf der linken Seite angefertigt wurden – eine davon hat ihre Form bereits teilweise an eine Tonplatte abgegeben. Die Augen sticht man am besten mit dem glatten Verschluß einer Flasche oder einem kleinen Deckel aus. Für den Kopfhörer-Kopf benötigen Sie drei Stücke für den Kopf und zwei Kreise für die Ohrmuscheln.

Bevor der Kopf zusammengebaut wird, müssen die Teile so weit getrocknet sein, daß sie beim senkrechten Hinstellen nicht zusammenfallen. Andererseits dürfen sie aber auch nicht zu hart sein, sonst lassen sie sich nicht mehr verbinden.

Die Teile werden so zusammengesetzt: Mit dem Lineal die senkrechte Mittellinie dünn auf die Profilplatte zeichnen. Über dieser Linie den Ton in Plattenstärke mit der Gabel aufrauhen und mit Schlicker bestreichen. Das Querteil wird der Länge nach halbiert. Die so entstandenen Kanten wiederum aufrauhen und auf das Mittelstück drücken. Durch einen dünnen Wulst, der in die Nahtstellen gedrückt und danach verstrichen wird, bekommt die Verbindung zusätzlichen Halt.

Ist das Seitenteil angebracht, wird das Werkstück vorsichtig senkrecht hingestellt. Jetzt kann die andere Hälfte angedrückt werden. In die Querteile in entsprechender Höhe, im Durchmesser der Ohren, Kerben einschneiden, Verbindungspunkte von Ohr und Kopf aufrauhen, mit Tonschlicker bestreichen und mit leichtem Druck zusammenbringen.

Auch hier wird der Halt durch Wülste verstärkt. Die Ohren gegebenenfalls

Vorsichtig wurde ein Seitenteil auf das Profil des Kopfes aufgedrückt. Zu diesem Zeitpunkt sollte der Ton schon so hart sein, daß er nicht mehr zusammensinkt, wenn der Kopf aufgerichtet wird. Er darf aber noch nicht so weit abgebunden haben, daß er sich nicht mehr formen läßt.

Und jetzt steht das gute Stück. Beim Weiterarbeiten ist Fingerspitzengefühl erforderlich, denn nun setzt man die Ohrmuscheln vorsichtig an und improvisiert Stützen, welche die Ohren halten, bis der Ton trocken ist.

mit einer Tonsäule stützen, bis sie fest am Kopf sitzen. Hat sich der Kopf durch zu heftigen Druck verbogen, muß er unverzüglich korrigiert werden. Zum Trocknen mit Plastikfolie abdecken und an einen gleichmäßig temperierten Ort stellen.

Zum Glasieren der Köpfe eignet sich in erster Linie die Spritztechnik. Dazu benötigt man entweder eine Glasurspritzpistole oder ein Blasrohr. Die Arbeit mit dem Blasrohr ist allerdings sehr mühevoll und eignet sich mehr für kleine Werkstücke. Leichter macht es die herkömmliche Gießtechnik. Dabei hält man den Kopf so, daß ein Finger in einer Augenöffnung steckt und die Unterkante auf eine Leiste gestützt wird, die über dem Glasureimer liegt. Jetzt die Glasur in einen Becher füllen und nach und nach alle Seiten übergießen. Dadurch, daß Glasurflüssigkeit leicht durch die Mund- und Augenhöhlen fließen kann, entstehen Nasen, die, ist die Glasur trocken, mit einer scharfen Klinge vorn behutsam abgeschabt werden.

Säulen für Lieblingsexponate

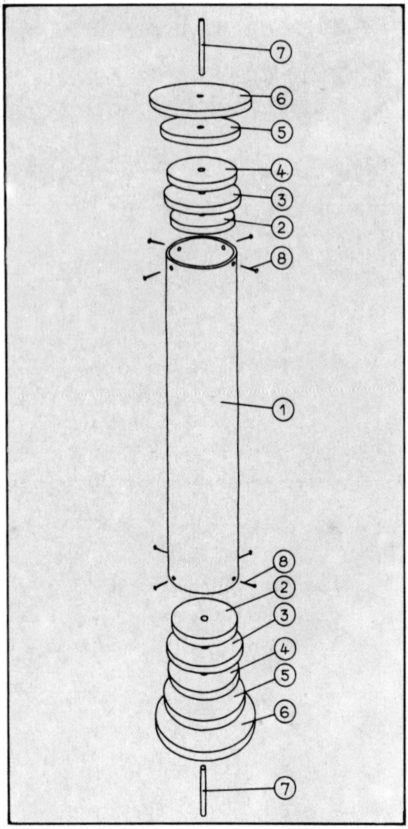

Ob Büste oder Pflanze, diese pfiffige Säule bringt alles auf die richtige Höhe und findet überall ein Plätzchen.

So bauen Sie Fuß und Kapitell der Säule aus Spanplatten: Alle Kreise mit dem Zirkel schlagen und Platten mit der Stichsäge ausschneiden. Die Löcher in der Mitte der Scheiben mit Hilfe eines Bohrständers bohren. Mit Raspel und Feile die Kanten der Scheiben, bis auf die beiden im Rohr liegenden, stark abrunden. Gleichmäßige Rundungen erhält man durch eine dicht am Außenrand gezogene Hilfslinie. Wenn Sie alle Scheiben mit Holzleim und Holzdübeln fixiert haben, die kompletten Blöcke oben und unten in das PVC-Rohr einschieben und mit jeweils vier SPAX-Schrauben befestigen. Da Spanplatten sehr rauh sind, müssen die Kanten der Holzscheiben mehrfach gespachtelt und zwischengeschliffen werden. Holzteile vorstreichen, das Rohr aufrauhen, mit Primer versehen und mehrfach streichen. Werkzeug: Stichsäge; Zirkel; Bohrständer; Bohrmaschine; 10-mm-Holzbohrer; Raspel; Feile; Schraubendreher; 4-mm-Bohrer.

Materialliste

Pos.	Anz.	Bezeichnung	Maße in mm	Material
1	1	Abflußrohr	1000 lang	PVC, Ø 160 außen
2	2	Scheiben	Ø 152	Spanplatte 28 mm dick
3	2	Scheiben	Ø 200	
4	2	Scheiben	Ø 165	
5	2	Scheiben	Ø 260	
6	2	Scheiben	Ø 300	
7	2	Holzdübel	140 lang	Buche Ø 10
8	8	SPAX-Schrauben	5,0 × 50	

Das Rohr muß auf die richtige Länge abgeschnitten werden – und das im rechten Winkel. Praktisches Hilfsmittel für diese Schnitte: Ein Blatt Papier auf das Rohr kleben und an dem Blatt entlang sägen.

Durch die Bohrlöcher (10 mm) hindurch die abgerundeten Scheiben mit einem 10-mm-Rundstab, 14 cm lang, fixieren.

Die „Pfropfen“, also Fuß und Platte, müssen nun an beiden Enden eingepaßt werden.

Das PVC-Rohr wird zunächst mit Sandpapier aufgerauht, mit Primer vorbehandelt und dann mehrmals gestrichen.

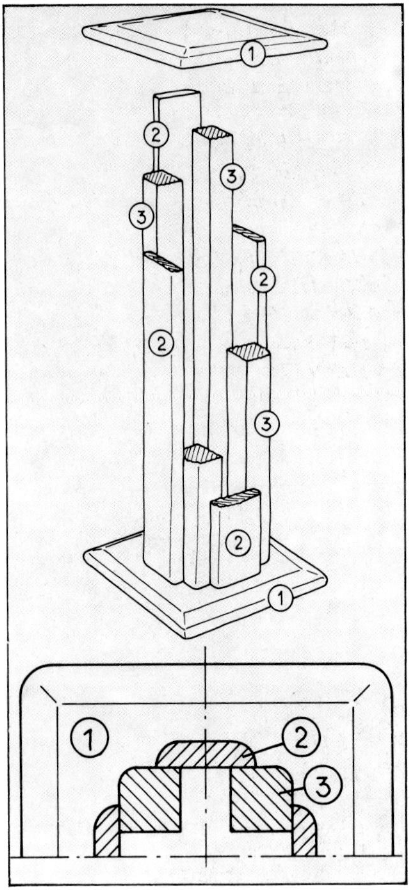

Als Gegenstück zur eleganten Version stellen wir Ihnen hier die etwas rustikalere „Schwester“ vor.
Die nach den Maßen der Materialliste zugeschnittenen Kanthölzer und Bretter an den entsprechenden Ecken (siehe Querschnittszeichnung) mit dem Hobel abrunden und sauber schleifen. Je zwei Kanthölzer (3) mit einem Brett (2) verbinden. Das Brett liegt jeweils 20 mm auf den Kanthölzern auf und wird an diesen Stellen verleimt. Zusätzlichen Halt verschaffen 40-45 mm lange Nägel, die Sie schräg in die Kanthölzer setzen. Die Nägel versenken und kitten. Die so entstandenen zwei Blöcke lassen Sie rund drei Stunden trocknen, bevor Sie sie mit den restlichen zwei Brettern verbinden. Ober- und Unterplatte (1) können noch mit der Oberfräse profiliert oder direkt mit dem Mittelstück verleimt werden. Nun beizen und lakkieren.
An Werkzeug benötigen Sie: Hammer; Hobel; Senkstift; Schleifklotz.

Hier sehen Sie den genauen Aufbau der Kanthölzer und Bretter.

Materialliste

Pos.	Anz.	Bezeichnung	Maße in mm	Material
1	2	Boden/Deckel	300 × 300	Fichte/Tanne 30 mm dick
2	4	Bretter	940 lang	Fichte/Tanne 80 × 20
3	4	Kanthölzer	940 lang	Fichte/Tanne 50 × 50

Nägel; Holzleim; Holzspachtel.

Pflanzenpresse

Romantisch, zart und grazil wie ein Aquarell, das die Natur selbst gemalt hat, wirken gepreßte Blumen. Man kann mit ihnen Briefe und Umschläge, Geschenkpäckchen oder Spanschachteln verzieren, oder man kann eine kleine botanische Sammlung anlegen. Die Blüten werden dazu unter Druck getrocknet, am besten in einer Presse aus zwei Sperrholzplatten mit je einer Lage Wellpappe zum Aufsaugen der Feuchtigkeit. Brauchbar ist eine Größe von 30 x 30 cm. Vier Schrauben mit Flügelmuttern sorgen für den nötigen Druck. Noch ein paar Tips zum Pressen: Flache Blüten eignen sich besser als gefüllte. Die Pflanzen sollten so trocken wie möglich sein, also pflücken Sie die Blumen bei trockenem Wetter. Sie werden mit dem Kopf nach unten auf Papier ausgebreitet und behutsam zurechtgezupft. Die Trocknungszeit ist verschieden, meist reichen etwa zwei Wochen.

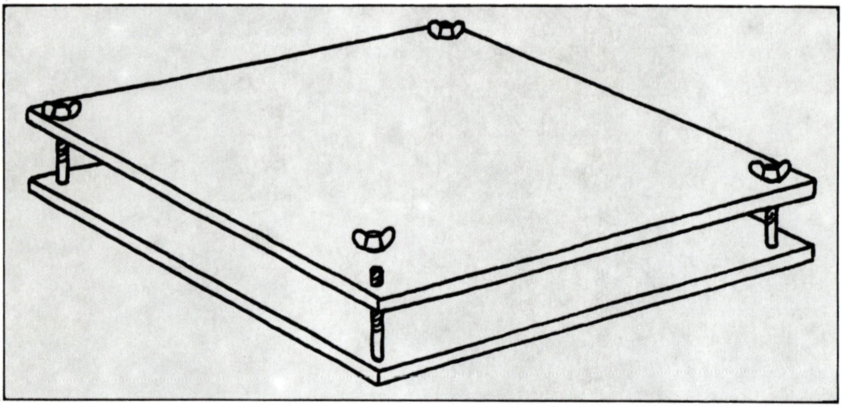

Das Prinzip der Presse ist ganz einfach. Die Papp-Einlagen werden an den Ek-ken weggeschnitten. Das Sperrholz darf nicht zu dünn sein; mindestens 10 mm sollte es haben. Schrauben und Flügelmuttern werden jeweils mit „Karosseriescheiben“ unterlegt, damit sie sich nicht durchziehen.

Sperrholzplatten an den Ecken durchbohren und die Kanten brechen.

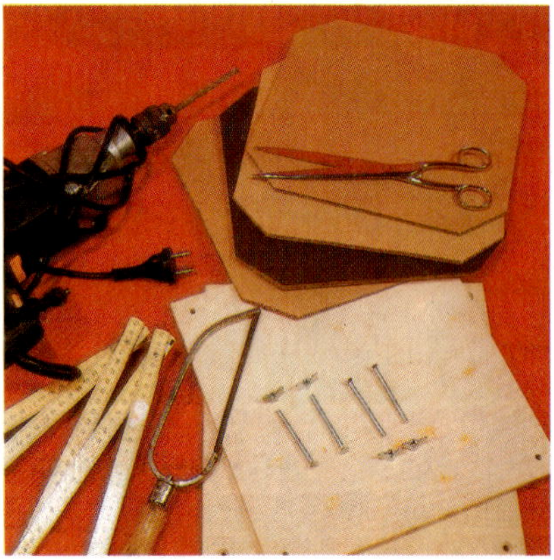

Das gesamte Material ist in Bastel- und Papierfachgeschäften zu bekommen.

Schmuckstück für Ihre Küche

Ausgesprochen hübsch und funktional ist dieses kleine Küchenregal. Dekoratives bleibt sichtbar, Kleinigkeiten finden in Schubladen Platz, und 20 Haken bringen Ordnung in das Sammelsurium von Bechern, Rührlöffeln und anderen Küchenhelfern.

Sägen Sie zuerst die Form der Seitenteile aus und schleifen die Kanten sorgfältig. Alle Teile werden verleimt und zusätzlich auch noch vernagelt.

Beginnen Sie mit dem Bau des Mittelteils (3 und 4). Markieren Sie an den Seitenteilen den Sitz des Mittelstücks und bohren Sie zwei 5 mm tiefe Löcher, in die die Rundstäbe eingeleimt werden.

Jetzt werden die Seitenteile mit dem Mittelteil verleimt und vernagelt, die Rundstäbe eingeleimt (die schon vorher mit jeweils 10 Haken bestückt wurden) und die Rückwand eingesetzt. Die sichtbaren Stifte versenken, die Löcher mit Holzkitt natur schließen und nach dem Trocknen überschleifen. Die Schubladen werden ebenfalls verleimt und vernagelt. Die Böden liegen dabei innen. Als Griffe dienen Astlochdübel. Sie können das fertige Regal zweimal mit Naturlack streichen oder beizen, zum Beispiel mit Positivbeize, welche die Maserung des Holzes sehr gut zur Geltung bringt.

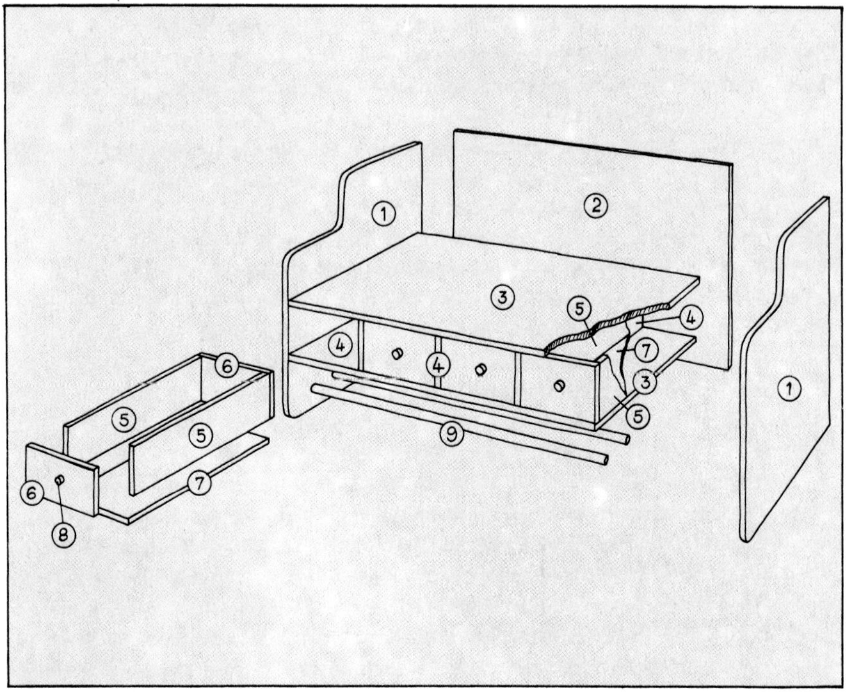

Hübsch, praktisch und dabei verhältnismäßig einfach zu bauen: das Wandregal für Ihre Küche. Alle Eckverbindungen erfolgen stumpf unter Leimangabe. Zusätzlich werden noch Nägel verwendet, um die Haltbarkeit zu erhöhen. Ein Tip: Bearbeiten Sie die beiden Seitenteile gleichzeitig, indem Sie die Sperrholzplatten mit einer Schraubzwinge zusammenspannen.

Materialliste

Pos.	Anz.	Bezeichnung	Maße in mm	Material
1	2	Seitenwände	370 × 300	Sperrholz 10 mm
2	1	Rückwand	580 × 370	
3	2	Böden	580 × 290	
4	3	Zwischenwände	290 × 80	
5	8	Seitenwände	267 × 78	
6	8	Querwände	136 × 78	
7	4	Böden	267 × 116	
8	4	Astlochdübel	Ø 15 × 10	Kiefer
9	2	Rundstäbe	Ø 23 × 590	

20 ELDI-Haken 1002 U; 2 Aufhänger; Holzleim; Nägel.

Freie Hand für Hobbyköche

Das sind Kochbuchständer für alle Geschmäcker: Auf der Speisekarte stehen ein rustikales Modell aus Kiefernholz und eine elegante Version aus gedrechselter Eiche, die sich auch als Bilder- oder Notenständer in der Wohnstube gut macht. Die Maße und den Aufbau des Kiefernständers können Sie der Materialliste und Explosionszeichnung entnehmen. Für die beiden Führungen (8) zeichnen Sie die Seitenansicht des Kästchens am besten 1:1 auf und schlagen um den Drehpunkt der Scharniere drei Zirkelkreise mit unterschiedlichen Radien (für die Kanten und die Führungsrille). Das fertig ausgesägte Teil wird dann in die Seite der Trägerplatte (2) eingelassen und mit zwei Holzdübeln stabilisiert. Zwei weitere Dübel in den Schmalkanten der Trägerplatte dienen als Halterungen für ein Gummiband, um ein Verblättern zu verhindern.

Der gedrechselte Ständer besteht aus einem verleimten und verdübelten Rahmen mit überlappten Streben, der höhen- und neigungsverstellbar in einem gedrechselten Hohlstab steht. Da es vielen Heimwerkern nicht möglich ist, ein langes Massivholzteil zu durchbohren, haben wir zu einem Trick gegriffen, den Ihnen die Fotoreihe verrät.

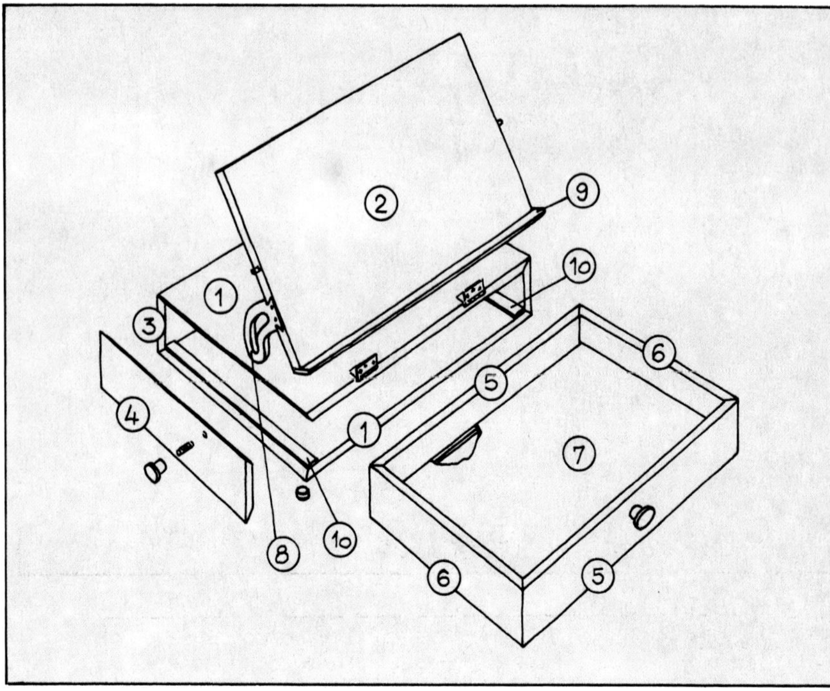

Materialliste

Pos.	Anz.	Bezeichnung	Maße in mm	Material
1	2	Boden/Deckel	450 × 340	
2	1	Ablage	470 × 340	stabver-
3	1	Rückwand	470 × 118	leimtes
4	2	Seitenteile	338 × 118	Kiefernholz
5	2	Front/Rückwand	410 × 80	18 mm dick
6	2	Seitenteile	320 × 80	
7	1	Boden	390 × 300	Sperrholz 5 mm
8	2	Führungen	120 × 120	Sperrholz 10 mm
9	1	Anschlagleiste	470 lang	Kiefer 30 × 10 mm
10	2	Scheuerstreifen	310 lang	Umleimer 20 mm

2 Scharniere; 4 Rundholzstücke als Füße; 3 Möbelknöpfe; Holzdübel; Holzleim.

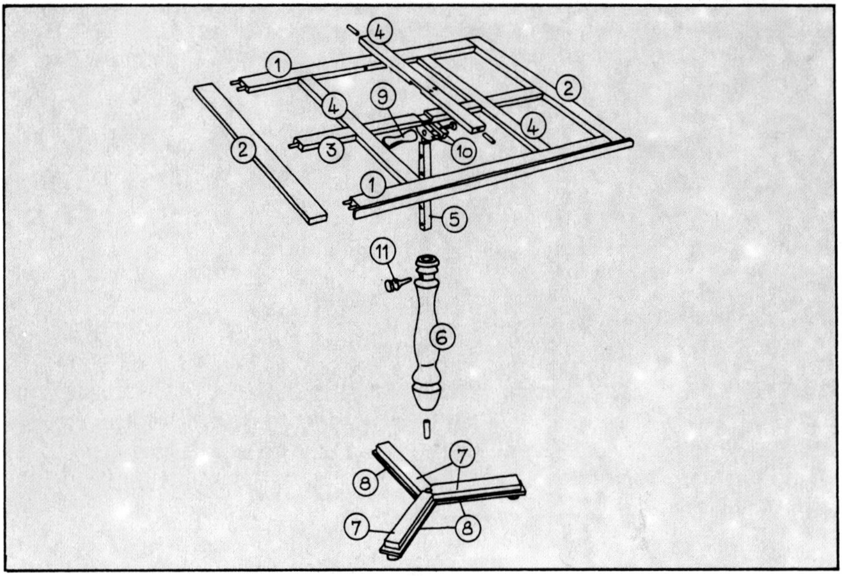

Materialliste

Pos.	Anz.	Bezeichnung	Maße in mm	Material
1 2	2 2	Rahmenleisten Rahmenleisten	410 lang 330 lang	Eiche 35 × 13 mm
3 4	1 3	Längsstrebe Querstreben	410 lang 260 lang	Eiche 25 × 13 mm
5	1	Höhenverstellung	210 lang	Eiche 15 × 15 mm
6	1	Säule	180 (250 roh) lang	Eiche 50 × 50 (roh)
7	3	Obere Fußleisten	130 lang	Eiche 30 × 15 mm
8	3	Untere Fußleisten	140 lang	Eiche 40 × 10 mm
9	1	Arretierung	65 lang	Eiche Ø 25 mm
10	2	Lager	76 × 38	Eiche 10 mm dick
11	1	Arretierung	55 (80 roh) lang	Eiche 25 × 25 (roh)

1 Möbelverbinderschraube; 16 Holzdübel Ø 6 × 30; 1 Halteleiste 25 × 7, 480 lang; 3 Füßchen Ø 25 × 18.

Ein Trick, um an den hohlen selbstgedrehten Mittelstab zu kommen: Leimen Sie sich einfach einen hohlen Vierkantstab zusammen.

Der wird dann leicht abgerundet und erhält eine spezielle Halterung, . . .

. . . damit er auf der Drechselbank zentriert und eingespannt werden kann.

Das Modell aus massivem Eichenholz eignet sich natürlich nicht nur als Kochbuchständer, sondern ebensogut als Unterlage für Noten. Neigung und Höhe der Auflage sind verstellbar.

Für Sportfischer: Das Rollmobil

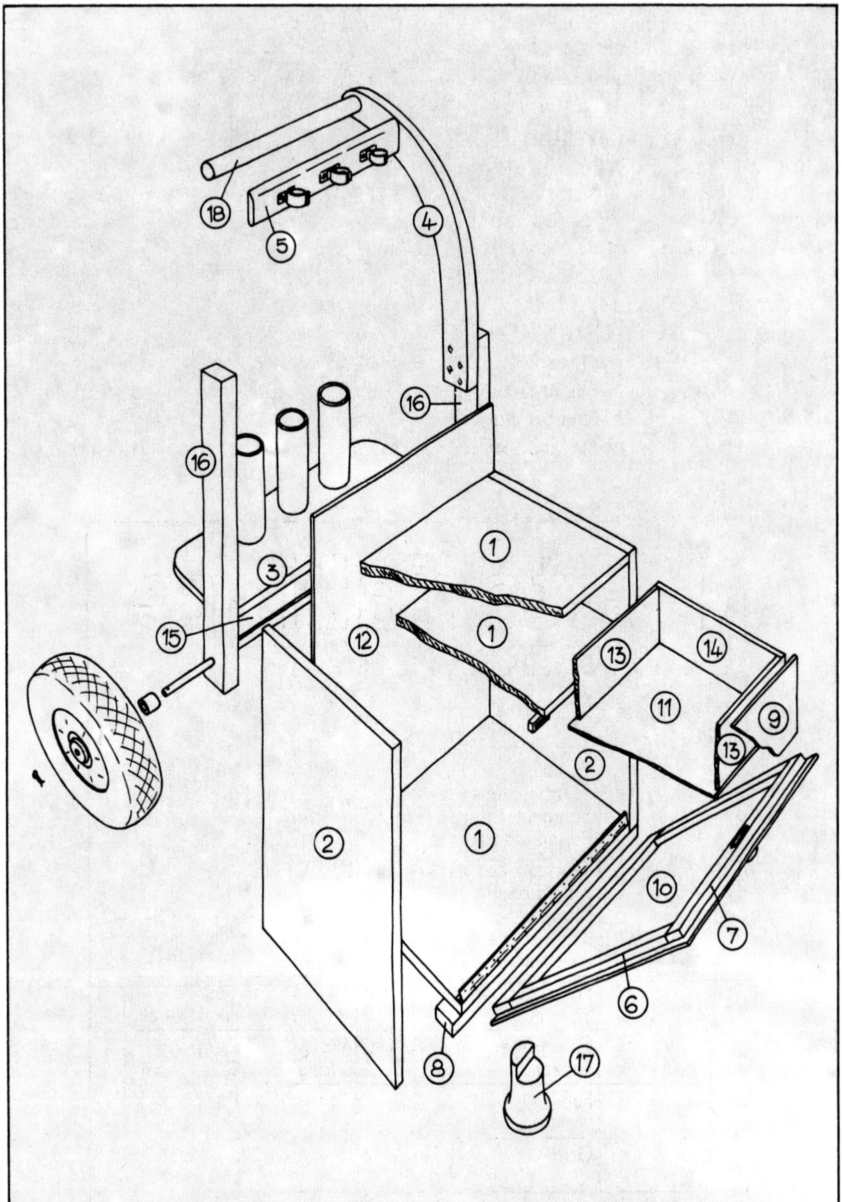

Für den Achsstab können Sie Niro-Stahl (im Fachhandel erhältlich) oder Messing verwenden. Die Räder werden außen durch Unterlegscheiben und Schlüsselringe gesichert; zum Kasten hin halten Distanz-Hülsen ca. 10 mm Abstand zwischen Rädern und Holzkasten, damit sich kein Dreck dazwischensetzt.

Ein „dicker Fisch“ war den Polizeibeamten an diesem Tag noch nicht ins Netz gegangen. Dafür angelten sie nach dem Strafzettelblock, als ihnen am Seeufer der Wagen von Freizeit-Fischer Klaus H. ins Auge fiel: H. sollte ein Bußgeld zahlen, weil die Zufahrtsstraße an den See nur für den landwirtschaftlichen Verkehr freigegeben war. Der Angler, der die Fischereirechte gepachtet hatte, brachte seine Beschwerde bis vors Gericht. Schließlich wollte er seine Utensilien nicht mühsam den besagten Weg entlang zum Ufer schleppen. Der Richter mochte seinen Argumenten aber nicht folgen: Er schloß den Angler aus dem Kreis der Landschaftsschützer aus, weil der Pachtvertrag keine Gewässerpflege beinhalte.

Falls Sie bisher auch in Höhe des Verbotsschildes beide Augen zugedrückt haben, sollten Sie sich den drohenden Ärger ersparen und das Bußgeld gleich sinnvoll anlegen.

Rollen Sie doch ganz legal mit unserem Wagen am Verbotsschild vorbei. Am Ufer selbst ließe sich dann auch gleich Schluß machen mit vielen Notbehelfen, die sonst die Anglerfreuden trüben:

Der Handwagen kann nun mit der Sitzfläche den umgestülpten Bierkasten er-

Materialliste

Pos.	Anz.	Bezeichnung	Maße in mm	Material
1	3	Böden	340 × 250	Kiefern-Leimh. 18 mm dick
2	2	Seitenwände	410 × 250	
3	1	Aufnahmeplatte	376 × 150	
4	2	Bügel	460 × 180	
5	1	Aufnahmeleiste	260 × 65	
6	2	Rahmenleisten	336 × 20	
7	2	Rahmenleisten	245 × 20	
8	1	Verstärkung	376 × 40	
9	1	Frontblende	360 × 80	Sperrholz 5 mm dick
10	1	Klappe	360 × 295	
11	1	Bodenplatte	334 × 244	
12	1	Rückwand	520 × 376	
13	2	Front/Rückwand	314 × 55	Sperrholz 10 mm dick
14	2	Seitenteile	244 × 55	
15	1	Querträger	296 lang	Kiefer 55 × 40 mm
16	2	Stützen	600 lang	
17	1	Fuß	80 lang	Kiefer Ø 90 mm
18	1	Griff	275 lang	Buche Ø 35 mm

2 Räder (z.B. Kettler, Superjet, 12½ × 3½, oder Anhänger-Stützräder aus dem Wohnwagen-Zubehör); 1 Achse (Stahl Ø 14 × 540 mm); 1 Magnetschnäpper; Klavierband; 2 Möbelknöpfe; 3 Stücke Plastikrohr Ø 40 × 120 mm; 3 Halteklammern; Schnellbauschrauben; Holzleim.

Halterungen für Fahrradluftpumpen wurden zu Rutenhaltern umfunktioniert und können natürlich auch noch einen Kescher aufnehmen. Mit dem Griff stecken die Ruten in entsprechend abgeschnittenen Kunststoffröhren. Im übrigen läßt sich am Wagen noch ein vernünftig dimensionierter Regenschirm unterbringen – doch Angler sind Individualisten, daher hat es wenig Sinn, hier Anregungen für die Ausstattung des Wagens zu geben. Einrichten wird sich der Sportfischer sein Rollmobil ganz nach den eigenen Bedürfnissen.

setzen, die Schublade hält je nach Einteilung das Nötige für Grund- oder Posenfischer bereit, und das Klappfach bietet einiges an Platz, um Stiefel oder heißen Kaffee unterzubringen. Vergewissern Sie sich vor dem Kauf der Teile, ob Sie unseren Wagen mit 98 × 56 × 56 cm genau kopieren können oder ob nicht ein beengter Kofferraum etwas kleinere Ausmaße vorschreibt. Abnehmbare Griffbügel zum Beispiel reduzieren die Bauhöhe auf 72 cm. Beim Zusammenbau müssen Sie keine besondere Reihenfolge beachten. Alle Leimverbindungen sollten zusätzlich verschraubt oder zumindest genagelt werden. Für die Aufnahmeplatte, die den Ruten als untere Halterung dient, können Sie die Steckhülsen aus einem Abflußrohr herstellen: Zur sicheren Befestigung setzen Sie zunächst drei 36-mm-Rundhölzer mit Leimzugabe auf das gerundete Bord, dann schieben Sie die Plastikrohre auf und sichern sie mit je drei Schrauben. Zusammen mit den Klemmspangen bietet der Wagen somit einen idealen Ersatz für die üblichen Bodenanker beim Nachtangeln. Einen Wetterschutz fürs Holz erreichen Sie durch Grundierung und drei Deck-Anstriche mit Zwischenschliff. Wenn Sie dabei ein dezentes Grün wählen, könnten sogar auftauchende Ordnungshüter vor Neid erblassen.

Perfekter Umweltschutz: Der Fahrradanhänger

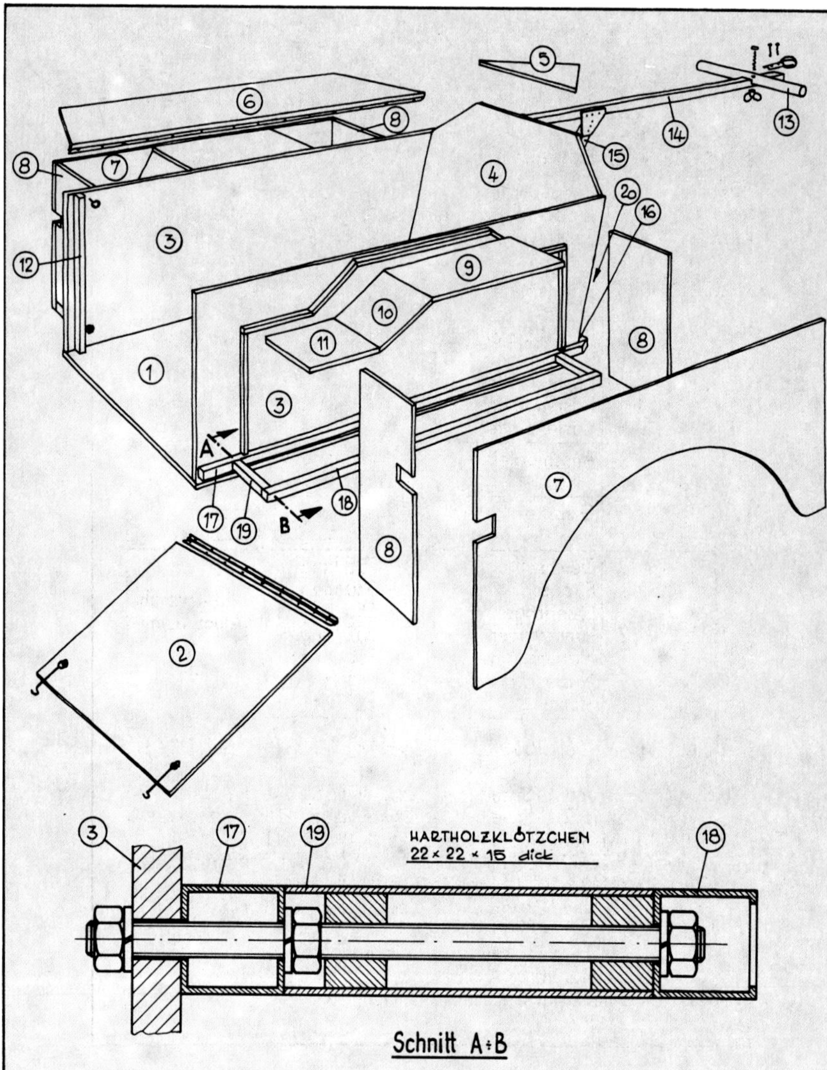

***Oben:* Der Aufbau unseres Fahrradanhängers.**
***Unten:* Der Schnitt A:B verdeutlicht die Montage der Rahmen-Eckverbindungen: In den Vierkantrohrabschnitt (19) zwei Holzklötzchen einschlagen. Einmal bündig mit einem Rohrende, einmal so tief in das Rohr hinein, daß gerade noch Platz für eine Mutter plus Federring bleibt. Die Klötzchen im Rohr mittig mit einem 8-mm-Bohrer durchbohren. Ebenso durchbohren Sie die Seitenwände (3), die Längsträger (17) und die Nabenrahmen (18) an den entsprechenden Stellen. Der Nabenrahmen erhält der Bohrung gegenüber einen Ausschnitt, durch den sich die Mutter bei der Montage aufsetzen und**

Materialliste

Pos.	Anz.	Bezeichnung	Maße in mm	Material
1	1	Bodenplatte	840 × 500	wasserfest verleimtes Sperrholz 12 mm dick
2	1	Klappe	475 × 425	
3	2	Seitenwände	940 × 426	
4	1	Frontplatte	570 × 476	
5	1	Deichselplatte	330 × 180	
6	2	Klappen	925 × 160	
7	2	Radverkleidungen	750 × 378	wasserfest verleimtes Sperrholz 6 mm dick
8	4	Stirnplatten	353 × 140	
9	2	Kastenplatten	300 × 140	
10	4	Kastenplatten	*) × 140	
11	4	Kastenplatten	*) × 140	
12	2	Anschlagleisten	420 lang	Fichte 20 × 20 mm
13	1	Griff	240 lang	Buche Ø 30 mm
14	1	Deichsel	755 lang	Vierkantrohr Aluminium 25 × 25 × 1,5 mm
15	1	Strebe	530 lang	
16	1	Querträger	550 lang	
17	2	Längsträger	852 lang	
18	2	Nabenrahmen	750 lang	
19	4	Nabenrahmen	90 lang	
20	1	Stütze	216 lang	

2 Aluplatten, 100 × 100 × 1; 6 Zylinder-Schrauben M6 × 45, DIN 84, mit Muttern und U-Scheiben; 1 Schloßschraube M6 × 50 mit Flügelmutter und U-Scheibe; 4 Sechskant-Schrauben M8 × 50 mit Muttern und je 2 U-Scheiben; 4 Gewindestäbe M8 × 150 mit je 3 Sechskant-Muttern und Federringen; Klavierband, 18 mm breit, 1 × 475 und 2 × 915 mm lang; 2 Rampa-Muffen M8 und 2 Sechskant-Schrauben M8 × 20; 2 Stuhlwinkel 30 × 15 mm; 2 Vorderräder komplett, 26"; 1 Dynamo mit Kabel; 2 gerade Rücklichter; 2 Katzenaugen; 1 Anhängerkupplung; 2 Sturmhaken komplett; Schnellbauschrauben; selbstschneidende Blechschrauben; Nägel; Holzleim; etwa 6 lfd. m Anschlagleisten für die Radkästen.
*) Maße je nach gewünschtem Stauraum.

anziehen läßt. Den Ausschnitt – wie auch alle anderen – können Sie vor dem Lackieren durch das Einsetzen von passenden Holzklötzchen unsichtbar machen. Die Montage: Mutter und Federring am Ende des Gewindestabes befestigen, den Stab von innen durch die Seitenwand und den Längsträger (17) schlagen. Zweiten Federring und die Mutter aufsetzen und sehr fest anziehen. Den Nabenrahmen (19) mit den Holzklötzchen über den Gewindestab schieben, dabei eventuell mit dem Hammer nachhelfen, dann den Nabenrahmen (18) mit der Bohrung auf das Ende des Gewindestabes setzen, Federring und Mutter durch den Ausschnitt montieren und fest anziehen.

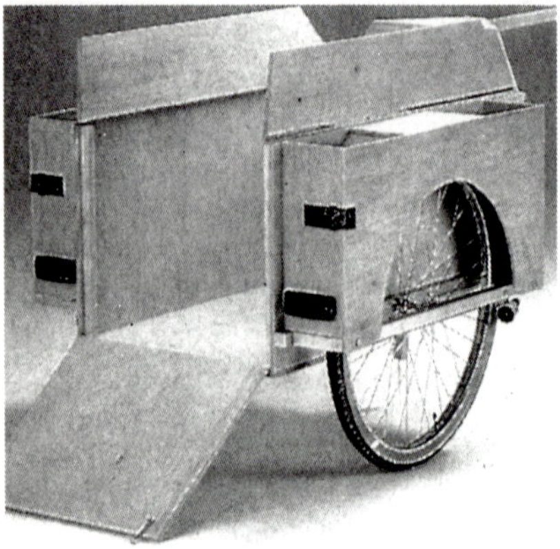

Der unlackierte Fahrradanhänger – hier mit geöffneten Klappen von hinten. Rücklichter und Katzenaugen sind zur Demonstration schon montiert.

Hier ein Blick von vorne, der sehr gut die Deichsel- und Rahmenkonstruktion aus den verschieden langen Vierkant-Alurohren erkennen läßt.

Dieser Anhänger aus wasserfest verleimtem Sperrholz und einem stabilen Rahmen aus Aluminium-Vierkantrohren bietet viel Stauraum, ist strapazierfähig und farbenfroh lackiert, ein toller Hit für Ihr Fahrrad. Er transportiert für Sie Lasten, auch überall dorthin, wo kein Auto mehr fahren kann, und macht selbst den großen Wochenendeinkauf im Supermarkt zur umweltfreundlichen Angelegenheit. Alle Holzteile werden verleimt und verschraubt, die Löcher in einem Teil stets vorgebohrt. Die Seitenwände (3) an den vorderen Schmalkanten so abschrägen, daß die zweite Längsseite je 84 cm mißt. Die Seiten mit diesen kürzeren Kanten auf dem Boden befestigen.

Die Frontplatte (4) zwischen den Seiten einpassen, die Unterkante entsprechend abschrägen und die oberen Ecken laut Zeichnung so abschrägen, daß die Front oben noch 33 cm mißt. Diese zwischen den Seitenwänden und auf der Bodenplatte montieren.

Dann die seitlichen Alurohr-Konstruktionen am Hänger befestigen. Die Schnittzeichnung A:B auf Seite 86 zeigt ganz genau, wie man die Rohrabschnitte miteinander und mit dem Korpus verbindet. Bevor man den Nabenrahmen (18) montiert, müssen die Räder mittig in die seitlichen Rahmenkonstruktionen eingepaßt werden. An den Befestigungsstellen erhalten die Rohre an den Innenseiten eine entsprechende Bohrung und an den Unterseiten Ausschnitte, durch die man die Muttern aufsetzt und festzieht. Die Vierkantrohre erhalten überall dort, wo verbindende Gewindestäbe montiert werden, eine „Holzfüllung“ (siehe Schnittzeichnung A:B).

Beim Radkasten haben wir nur Teil (9) mit genauen Maßen angegeben. Teil (10) und (11) können Sie je nach gewünschter Tiefe des Stauraums zuschneiden. Die Holzleisten für die Radabdeckung an den Seitenwänden und gegengleich an den Innenseiten der Radverkleidungen (7) mit Leim und Nägeln befestigen. Die Brettkanten der Abdeckung anpassen und auf die Leisten leimen und schrauben.

Schrauben mit Muttern fixieren die Seitenwände noch zusätzlich am Rahmen. Holz und Rahmen vorbohren! Auch der Dynamo für die Anhänger-Rücklichter ist bereits montiert.

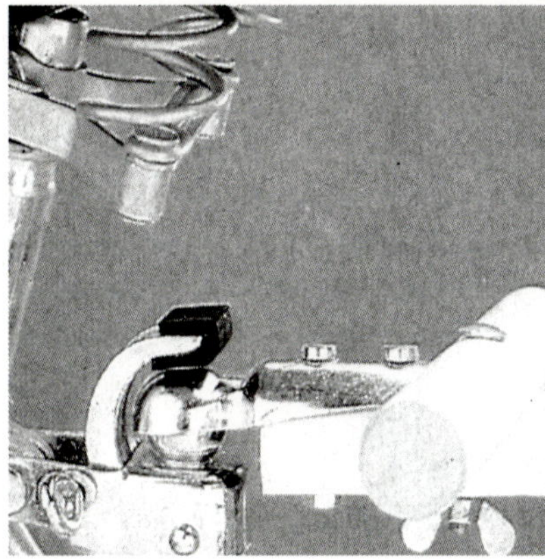

Die Verbindung zwischen „Zugmaschine“ und Anhänger: die Anhängerkupplung. Das Teil zum Einhängen wird mit zwei Schrauben und Muttern an der Deichsel befestigt, das Gegenstück natürlich am Fahrrad.

Die Radverkleidungen (7) mit einem Ausschnitt versehen, der etwa 10 cm kleiner als eine Radhälfte ist. Verkleidungen und Stirnplatten erhalten außerdem Ausschnitte für die Rücklichter. Radkästen zusammenbauen und Rücklichter sowie Dynamo montieren, ehe die Kästen am Korpus befestigt werden. Die Verkleidungen noch zusätzlich mit je zwei Sechskant-Schrauben am dafür durchbohrten Alurahmen befestigen.

Anschließend den Querträger (16) an den Enden abschrägen und an diesen Stellen mit den Längsträgern (17) verschrauben. Die Längsträger zu diesem Zweck mit stramm eingeschlagenen Holzklötzchen versehen, in die je eine Rampa-Muffe M8 eingedreht wurde. Deichsel (14), Strebe (15), Querträger (16) und Stütze (20) verbinden. Enden der Rohrabschnitte dort, wo es nötig ist, schräg zusägen. Deichsel und Strebe mit zwei entsprechend zugeschnittenen Aluplatten und selbstschneidenden Blechschrauben verbinden. Die Verbindung Strebe/Querträger erzielt man mit zwei Stuhlwinkeln, die an beiden Seiten verschraubt werden. Die Stütze beginnt genau mittig unter dem Querträger. Sie wird durch zwei Zylinder-Schrauben mit der Frontplatte (4) verbunden.

Mit Zylinder-Schrauben eine Hälfte der Fahrradkupplung am Ende der Deichsel anbringen, dahinter den zur Hälfte ausgeklinkten Rundholzabschnitt (13) mit Schloßschraube und Flügelmutter befestigen. Das Gegenstück der Kupplung am Fahrrad anschrauben. Zum Schluß noch die Deichselplatte (5) mit der Front verleimen und verschrauben sowie durch zwei Zylinder-Schrauben mit der Deichsel verbinden.

Die Klappen (6) für die Fahrradkästen an den Schmalkanten so abschrägen, daß die äußeren Längskanten genau mit den Radkästen abschließen, und mit Klavierband anschrauben. Die Anschlagleisten (12) für die große Klappe (2) anbringen, Klappe und Klavierband befestigen und an den Seiten Sturmhaken eindrehen. Die Gegenstücke sitzen entsprechend hinter den Anschlaglei-

Zum Lackieren noch einmal die Rücklichter abnehmen und alle Metallteile abkleben. Das Lackieren selbst geschieht am besten mit der Schaumstoffrolle.
Denken Sie daran, daß der Anhänger Wind und Wetter ausgesetzt ist. Daher empfiehlt sich eine möglichst widerstandsfähige Lackierung, die auch mit umweltfreundlichen Farben (ohne aggressive Lösungsmittel) zu erreichen ist.

sten. Den Anhänger zweimal lackieren; wir haben silbernen Hammerschlaglack verwendet und mit Hilfe einer Schablone noch einen poppigen Schriftzug aufgemalt. Zum Lackieren Rücklichter und Räder demontieren, alle Aluteile und Schraubenköpfe mit Kreppband abdecken. Zum Schluß zwei Katzenaugen aufkleben oder von innen durch die Stirnplatten verschrauben.

Rollender Alleskönner

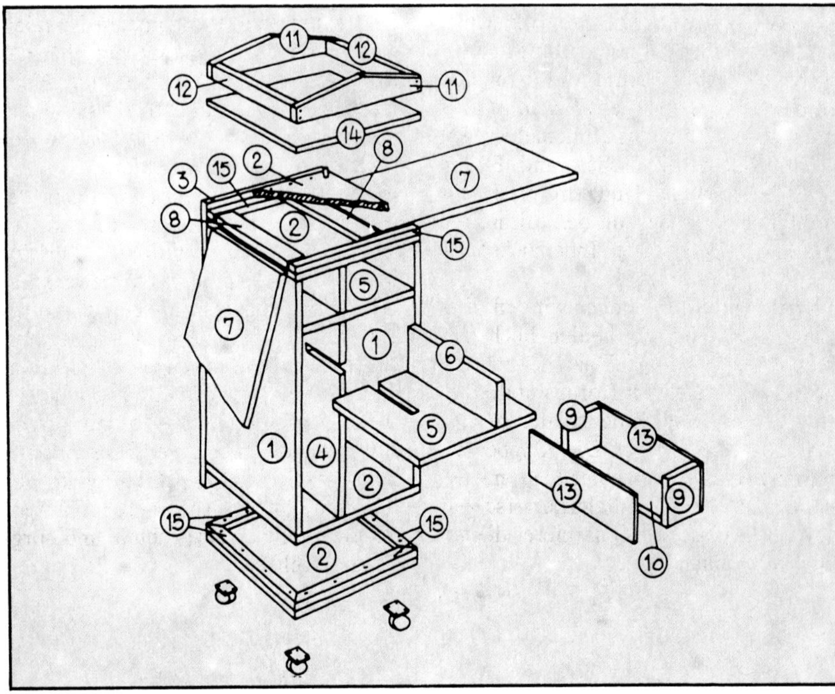

Besonders leicht wird der Zusammenbau durch die stumpfen Verbindungen, die lediglich verleimt und genagelt werden. Die Zwischenwand (4) und die Zwischenböden (5) werden je zur Hälfte eingesägt und dann zusammengesteckt.

Mobilität und Vielseitigkeit sind heute gefragt. Unser Rolltisch im farblich aktuellen Outfit ist in beiden Belangen Ihr idealer Partner fürs Wohnen und Arbeiten.
Ob Sie nun bei der Party einen flotten Helfer zum Servieren der Getränke brauchen, neben Ihrem Schreibtisch Ablagen und Stauraum für Arbeitsmaterialien benötigen oder sich fürs sonntägliche Frühstück im Bett einen hilfreichen Butler wünschen – der Rollwagen ist stets zu Diensten.
Sein größter Vorzug sind die seitlich herunterhängenden Klappen, die man mit einem Griff hochhebt und zum Arretieren ein wenig in den Führungsschacht einschiebt. Schon haben Sie zwei Ablageflächen, die reichlich Platz bieten.
Das auf vier Dübeln fixierte Tablett kann man zum Servieren leicht abnehmen. In den Schubladen und auf den Fachböden gibt's erstaunlich viel Stauraum.
Die Höhe des Rollwagens macht ihn mit einer aufgestellten Klappe zum idealen Bett-Tisch. Zum Servieren wird das Tablett in der Küche vorbereitet und auf die Klappe über dem Bett gestellt.
Ist Ihnen der rollende Alleskönner sympathisch? Dann werden Sie staunen, wie problemlos sich der Nachbau gestaltet. Zunächst fügen Sie die zwei Seitenwände mit den Böden zum Grund-

korpus zusammen. Die nach der Materialliste sauber zugeschnittenen Teile werden stumpf verleimt und vernagelt. In den so entstandenen Kasten schiebt man anschließend das „Innenleben" ein – bestehend aus Zwischenwand, Böden und Zwischensteg. Nun wird die Rückwand aufgelegt und mit den Stirnseiten des Korpus' und seiner Innenaufteilung verleimt und vernagelt.

Im nächsten Schritt stellen wir den Führungsschacht für die beiden hochstellbaren Klappen her. Dazu leimt man zwei Leisten auf den Korpus und befestigt darüber eine Abdeckplatte im Format der Korpusböden. Die Klappenteile werden an jeweils einer Seite mit einer 60 mm breiten Halteleiste versehen. Zwei eingelassene Scharniere dienen als Verbindung.

Steckt man nun die schmalen Halteleisten in den Führungsschacht, hängen die Klappen senkrecht herunter. Hebt man die Klappen und schiebt sie in den Führungsschacht, so sind sie in der waagerechten Position fixiert.

Bleibt noch der Sockel zu fertigen, bestehend aus einer Bodenplatte und vier auf Gehrung geschnittenen Leisten. Möbelrollen machen das Vielzweckmöbel mobil. Schubkästen und das oben aufgesetzte Tablett komplettieren schließlich den Rollwagen. Vier Holzdübel in der Abdeckplatte und entsprechende Bohrungen im Tablett sorgen dafür, daß der Aufsatz nicht verrutscht. Bevor es im letzten Arbeitsgang ans Lackieren geht, werden alle Flächen, wo erforderlich, gespachtelt und sorgfältig geschliffen.

Materialliste

Pos.	Anz.	Bezeichnung	Maße in mm	Material
1	2	Seitenwände	526 × 350	
2	4	Böden	350 × 350	
3	1	Rückwand	620 × 350	
4	1	Zwischenwand	526 × 350	Multiplex
5	2	Zwischenböden	350 × 320	15 mm dick
6	1	Zwischensteg	350 × 97	
7	2	Klappen	560 × 314	
8	2	Halteleisten	314 × 60	
9	6	Blenden/Rückwände	95 × 87	
10	3	Böden	329 × 87	Sperrholz
11	2	Stirnseiten	350 × 60	10 mm dick
12	2	Seitenteile	330 × 30	
13	6	Seitenteile	349 × 95	Sperrholz
14	1	Boden	350 × 350	4 mm dick
15	6	Leisten	350 lang	Kiefer 17 × 17 mm

4 Möbelrollen; 4 Scharniere; 3 Möbelknöpfe; 4 Holzdübel; Spanplattenschrauben; Nägel; Holzleim.

Auf dem Foto deutlich zu sehen: Das Innenleben des Rollwagens wird als Ganzes in den vorbereiteten Rollwagen-Korpus geschoben. Anschließend befestigt man es mit Nägeln und Leim.

Der Führungsschacht für die hochstellbaren seitlichen Klappen wird durch eine Abdeckplatte geschlossen. Danach verbindet man die Klappen mit den Halteleisten durch beidseitig eingelassene Scharniere.

Die Schubkästen werden ebenfalls stumpf verleimt und genagelt. Dabei verbindet man zuerst die Blenden mit dem Boden, dann kommen die Seitenteile dran.

Die Stirnseiten des Tabletts werden von der Mitte her, bis auf die Höhe der Seiten auslaufend, abgeschrägt. Ist das Tablett verleimt, hobelt man die Oberkante der Seite, passend zum Winkel der Stirnseiten, schräg.